聖路加スタイル
病院スタッフのための英会話

編集　学校法人　**聖路加国際大学**

St. Luke's Style
English Conversation
for Hospital Staff

St. Luke's International University

診断と治療社

刊行にあたって

　聖路加国際病院は1901年にアメリカ人医師・宣教師によって設立され、第二次世界大戦直後までは、真の国際病院でした。私が当院で卒後臨床研修を行なった1970年代後半にも、アメリカで臨床トレーニングを受けた医師が多く、外国の要人が来日する際には、医療上の緊急時に備えて当院がスタンバイしていたものでした。

　しかしながらいつの間にか、当院の「国際性」は著しく低下していました。院内のサイニッジ（標識・看板・掲示物）にしても、スタッフの配置にしても、外国からの患者がストレスなく受診できる体制とはとてもいえない状態になっていました。

　そこで、2011年1月を期して、当院を真の国際病院にすべく、大きく舵を切りました。まず行なったことは、海外に向かって、当院が提供している医療の質が世界のトップクラスの病院と遜色ないことを示す目的で、「Quality Indicatorの本（医療の質を示す指標の測定と、それら指標の改善の足跡）」を英語版にし、病院の国際認証（JCI：Joint Commission International）取得の準備に取り掛かりました。

　同時に、院内サイニッジの4か国語（大きなサイズの英語、色を変えた日本語、小さめの中国語とハングル）表示、英語のホームページ作成、医事課内に外国人患者に外国語（英語、ロシア語、フランス語、中国語など）で対応できる国際係の設置、スタッフとして外国人の雇用促進、海外からの医学生・看護学生などの臨床実習受け入れなどを行なってきました。

　もうひとつの重要な試みが、すべての病院職員への英語学習支援でした。百枝幹雄副院長をはじめ、教育センタースタッフの努力によりe-Learningでの英会話の学習が病院をあげて繰り返されてきました。その結実の一部が本書で、病院内でのシチュエーション別に、簡潔で分かりやすい英語の文章が綴られています。わが国の医療の国際化に向けて、多くの医療関係者に使っていただければ幸甚に存じます。

2014年10月

聖路加国際病院　院長
福井次矢

序　文

　聖路加国際病院は米国聖公会宣教医師として来日した Rudolf B. Teusler 先生によって 1901 年に創立され、看護学校も含めて米国人医師や看護師の指導を受け、その後の歴史においても米国とさまざまなつながりをもってきました。そのため、外国人を受け入れることやスタッフが外国に出ていくことについてとても積極的な風土をもっています。この外国に対する積極的でオープンな姿勢が、聖路加スタイルのひとつです。

　われわれは国際病院としての役割を果たすため、対応言語 10 か国語を目指していますが、母国語は英語でなくとも英語でコミュニケーションをとることが可能な外国人が多いので、やはり中心となる言語は英語です。そのため、われわれ聖路加国際病院には、スタッフがそれぞれの部署で外国人患者さんに対応するなかで必要と思った言葉を自分たちで調べ、ネイティブスピーカーや専門家に確認して作り貯めた英会話の例文集や、自分たちのために作り上げた英会話の e-Learning があります。今回、それらの情報を集めてみると、量は膨大で領域も多岐にわたっていましたが、それをポケットに納まるように必要最小限の量で、かつすべての職員に役立つ例文に絞って編集したのが本書です。編集にあたっては、e-Learning を担当した金 政美さん達、コメディカル英会話集作成に携わった田村しのぶさん達、それを整理した中村美菜子さん、鍋島万里子さん達、英文校正をいただいた Gautam A. Deshpande 先生などの『聖路加スタイル 病院スタッフのための英会話』編集委員会のメンバー、さらに委員会以外の多くの方が、日夜それぞれの多忙な業務の合間に献身的に尽力くださいました。そのようなボランティア精神もまた、聖路加スタイルだと思います。

　本書を片手に、皆さんが自信をもって外国人患者さんとコミュニケーションをとれるようになって、異国で不安に思っている外国人患者さんが、安心して気持ちよく最高の医療を受けられますように、心からお祈りいたします。

2014 年 10 月

聖路加国際病院　副院長
『聖路加スタイル 病院スタッフのための英会話』編集委員会　委員長
百枝幹雄

編集委員・協力一覧

編 集
学校法人　聖路加国際大学

編集委員長
副院長　　　　　　百枝幹雄

編集委員
広報室　　　　　　金　政美
国際部　　　　　　中島　薫
　　　　　　　　　瓜生田真理
臨床疫学センター　Gautam A. Deshpande
教育センター　　　立花直明
　　　　　　　　　松岡真理子
　　　　　　　　　鍋島万里子
　　　　　　　　　中村美菜子

協 力
放射線科、リハビリテーション科、眼科、歯科口腔外科、腎センター・透析室、栄養科、医療社会事業科、こども医療支援室、医事課国際係、秘書室、教育センター、臨床検査科

Contents

刊行にあたって iii
序　文 iv
編集委員・協力一覧 v

Part❶　病院内のいろいろな場面

院内を歩いていたら…… 2
　来院者への声かけ ● 2
　順路や場所を案内する ● 3
　サービス・仕組みの説明 ● 4
　まとめのミニ会話 ● 6

受付で 7
　まとめのミニ会話 ● 12

電話で 16
　電話を受けるとき・かけるとき ● 16
　名指し人が不在・電話に出られないとき ● 18
　電話を終えるとき ● 19
　間違い電話 ● 20
　まとめのミニ会話 ● 20

診察室で 23
　問　診 ● 23
　症状（患者さんの答え）● 24
　診　察 ● 26
　診　断 ● 29
　まとめのミニ会話 ● 31

病室で 33
　まとめのミニ会話 ● 37

薬局・調剤窓口で 40
　説　明 ● 40
　注　意 ● 42
　ボキャブラリー ● 44

コミュニケーションに役立つ表現 45
　クッション表現・あいづち ● 45

Part❷　検査の際に

採血室で 48
放射線科で 50
　レントゲン撮影 ● 50
　MRI 検査 ● 53
　マンモグラフィ検査 ● 53

放射線治療 ● 54
その他の検査で 1 56
　　胃内視鏡検査 ● 56
　　胃バリウム検査 ● 57
　　超音波検査 ● 58
　　心電図 ● 59
　　ホルター心電図 ● 60
　　携帯型心電図 ● 60
　　トレッドミル ● 61
その他の検査で 2 62
　　脳　波 ● 62
　　NCV ● 63
　　肺活量 ● 64
　　努力性肺活量 ● 64
　　機能的残気量 ● 65
　　一酸化炭素肺拡散能 ● 65
　　聴力検査 ● 65
　　ABI ● 66

Part❸　各科で

リハビリテーション科で 68
　　開　始 ● 68
　　評　価 ● 68
　　聴　取 ● 69
　　注　意 ● 69
　　確　認 ● 70
　　ボキャブラリー ● 70
眼科で 71
　　オートレフラクトメーター・ケラトメーター ● 71
　　眼圧検査 ● 71
　　視力検査 ● 72
　　眼球運動 ● 73
　　ボキャブラリー ● 73
歯科口腔外科で 75
　　診察前 ● 75
　　診察中 ● 75
　　印　象 ● 76
　　診察後 ● 76
腎センター・透析室で 77
　　準　備 ● 77
　　開始前 ● 77
　　バスキュラーアクセス ● 77

穿　刺 ● 78
　　カテーテル ● 78
　　透析中 ● 78
　　血圧低下時 ● 79
　　筋痙攣 ● 79
　　終了時 ● 79
　　透析後 ● 79
　　在宅酸素療法 ● 80
　　酸素ボンベ ● 80
　　困ったとき ● 80
　　ボキャブラリー ● 81

栄養科で 82
　　習　慣 ● 82
　　果　物 ● 84
　　菓子類 ● 84
　　飲　料 ● 84
　　たんぱく質 ● 85
　　脂　質 ● 85
　　ビタミン・ミネラル ● 85
　　ボキャブラリー ● 86

医療社会事業科で 88
　　案　内 ● 88
　　経済問題 ● 88
　　転院・在宅相談 ● 89
　　ボキャブラリー ● 89

こども医療支援室で 92
　　はじめまして ● 92
　　プレイルームにて ● 92
　　治療の前後 ● 93
　　保護者の方に ● 95

付　録

病院の基本単語・用語 98
　　施設名 ● 98
　　部署名 ● 99
　　身体の部位と症状 ● 101

災害発生時 104
　　注意喚起とともにパニックを防ぐ ● 104
　　安全確保を促す　105
　　避難誘導（帰宅）　106
　　そのほかの状況説明など ● 108

Part 1

病院内のいろいろな場面

院内を歩いていたら……	2
受付で	7
電話で	16
診察室で	23
病室で	33
薬局・調剤窓口で	40
コミュニケーションに役立つ表現	45

Part 1 病院内のいろいろな場面

院内を歩いていたら……
On the way inside the Hospital...

病院の入口や廊下で来院者に声をかけ、質問に応じる際の表現です。

来院者への声かけ

□どうなさいましたか？
  May I help you?

□荷物をお持ちしましょう。
  I will take your bags.

□あの、何か落とされましたよ。
  Sir (Madam), you dropped something.

□何とおっしゃいましたか？ ＜よく聞き取れなかったとき＞
  [I beg your] pardon? / Sorry?

□もう少しゆっくり話していただけますか？
  Could you speak more slowly, please?

□少しお待ちください。誰か英語を話せる人を探してきます。
  One moment, please. I will get someone who speaks English.

□すぐ戻ります。
  I will be back shortly.

□すみません。＜言い間違ったとき、人とぶつかったときなど＞
  Excuse me. / Pardon! / Pardon me.

□いえいえ。＜お詫びやお礼に対して＞
  Not at all. / Don't mention it.

□お急ぎですか？
  Are you in a hurry?

□分かりません。
  I am not sure.

□どういたしまして。
You're welcome. / It's my pleasure.

□お役に立てたのなら嬉しいです。
I am very glad to help.

□お役に立てず申し訳ございません。
I am sorry I couldn't be of more help.

□お大事に！
Take care!

順路や場所を案内する

□眼科は3階にあります。
The **Ophthalmology** department is on the third floor. ＊ophthalmology 発音 オフサル**モ**ロジー

□エスカレーターでどうぞ。
Please take the **escalator**.
＊escalator 発音 **エ**スカレイタ

□エレベーターはそちらです。
The **elevators** are over there.
＊elevator 発音 **エ**ラヴェイタ

□旧館へは、2階の連絡通路をご利用ください。
Take the sky bridge on the second floor to the Old Building.

□角のところにトイレがあります。
You can find **restrooms** at the corner.
＊restroom 発音 **レ**ストルーム

□廊下のつきあたりに、公衆電話があります。
There is a pay phone at the end of the hall.

□郵便ポストは、西口警備室の隣にあります。
There is a mailbox next to the Security Office at the West Entrance.

□そこの右手です。
It is on your right.

□ この建物は 10 階建てです。
This building has 10 floors.

□ 最上階に上がってください。
Please go up to the top floor.

□ 1 階にはレストランやスターバックス、自動販売機があります。
There is a restaurant, Starbucks and vending machines on the first floor.

□ レストラン近くの ATM で、お金を引き出せます。
You can withdraw money from the <u>ATM/Cash machine</u> near the restaurant.

□ 売店は地下 1 階にあります。
There is a gift shop on the **B1**[level].
 * B1 [発音]ビーワン「地下1階」。…level を付けてもよい。

□ あの階段を下りてください。
Take those **stairs** down.
 * stairs [発音]ス**テ**アーズ

□ ご案内します。ついてきてください。
I can take/accompany you. Please follow me.

□ 係の者がご案内します。
Our staff in charge will take you to the **appropriate** place.
 * appropriate [発音]アプ**ロ**ウプリエイトゥ「適切な」。

サービス・仕組みの説明

□ 営業時間は朝 8 時から夜 8 時までです。
It is open from 8 a.m. to 8 p.m.

□ 訪問券がないと、病棟には入れません。
You must have a visitor's pass to enter the **inpatient ward**.
 * inpatient [発音]イン**ペ**イシェン   * ward [発音]**ワ**ード

□ 訪問券は、総合案内で発行しています。
You can get a visitor's pass at the General Information Counter.

☐ 訪問券を扉前の装置にかざすと、病棟に入れます。
You can enter the ward by touching the card on the reader near the ward entrance.

☐ 訪問券は、首に掛けてご利用ください。
Please wear the card around your neck.

☐ 病棟前のインターホンを押してください。
Call the staff via the **intercom** at the ward entrance.
* intercom 発音 インタカム

☐ 恐れ入りますが、ここでは携帯電話の使用はご遠慮いただいています。
We are sorry, but you are not allowed to use **cell-phone** here.
* cell-phone 発音 セルフォーン
* permit 発音 パーミットゥ 「許可する」。…名 「許可」のときは 発音 パーミットゥ

☐ 東玄関前で、タクシーを拾えます。
You can get a taxi at the East Entrance.

☐ ここから東京駅まで、タクシーで15分程度です。
It will take about 15 minutes to Tokyo Station by taxi.

☐ 運賃は1000円ほどです。
It usually costs around 1000 yen.

☐ この出口は、もう閉まりました。
This exit is already closed.

☐ もうひとつの出口に、お回りください。
Please go to the other exit.

☐ 外の薬局でお薬をお求めください。
Please get your medicine at a **pharmacy** outside the hospital.
* pharmacy 発音 ファーマスィー

☐ 道路の向こう側に薬局があります。
There is a pharmacy across the street from the hospital.

①場面　院内を歩いていたら……

まとめのミニ会話　*Sample dialogue*

院内にて迷っている様子の外国人

職員

こんにちは。何かお困りですか？
Hello. May I help you?

患者

はい。内分泌・代謝科を探しているのですが。どうやって行けばいいのでしょう？
Oh! Yes, please. I am looking for the Endocrinology and Metabolism Department. How do I get there?

＊endocrinology [発音]エンダクリ**ナ**ラジ「内分泌学」。
＊metabolism [発音]メ**タ**ボリズム「代謝、新陳代謝」。

職員

内分泌・代謝科はセントルークスタワーの5階です。今いらっしゃる本館の通りをはさんだ向かい側にあります。
It's on the fifth floor of St. Luke's Tower. It's across the street from this building.

＊across [発音]アク**ロ**ース「〜の向こう側に、〜を横切ったところに」。

職員

2階に連絡橋がありますので、そちらからお入り頂き、エレベーターで5階へどうぞ。
Please take the connecting bridge to the Tower on the second floor, then take the elevator to the fifth floor.

患者

わかりました。どうもありがとう。
All right. Thanks a lot!

職員

どういたしまして。
You're welcome.

Part ❶ 病院内のいろいろな場面

受付で
At Reception

診察案内から会計説明まで窓口の必須表現です。

□こんにちは、どうなさいましたか？
  Hello. May I help you?

□どうされましたか？／どこがお悪いのですか？
  What seems to be the problem?

□この病院は初めてですか？
  Is this your first visit to this hospital?

□登録はお済みですか？
  Have you registered already?
  ＊register [発音]レジスター 「登録する、申し込む」。

□8時30分から受付が始まります。
  The reception desk opens at 8:30.
  ＊reception [発音]レセプション

□あの机の上にある申し込み用紙に、ご記入願います。
  Please fill out the registration form which are on the table over there.
  ＊fill out 「(用紙をすべて)埋める」。…「(空欄など用紙の一部を)埋める」ときは fill in
  ＊registration [発音]レジストレイション 「登録」。

□初診の受付は4番カウンターです。
  Please go to Counter 4 for registration as this is your first visit.

□再診の受付は2番カウンターです。
  To check in for a follow-up visit, please go to Counter 2.

①場面　受付で

(7)

□ お名前を教えてください。
May I have your name, please?

□ これは名字ですか、それとも下のお名前ですか？
Is this your family name or given name?

□ お名前は何とお読みしますか？
How do you pronounce your name?
* pronounce 〔発音〕プロ**ナ**ウンス

□ どちらの国籍ですか？
What is your nationality?

□ 紹介状をおもちですか？
Do you have a referral letter?
* referral 〔発音〕リ**ファ**ラル「(専門医などへの)照会」。referral letter「(病院などへの)紹介状」。…letter of introduction は、人を訪問する際などの「紹介状」。

□ 何科にかかりたいですか？
What department would you like to visit?

□ 原則、診察には予約が必要です。
In general, an appointment is necessary to see the doctor.
* appointment「(診察などの)予約、(人と会う)約束」…ホテル・レストラン・列車座席などの予約は reservation/booking。

□ とはいえ、本日の診察が可能か確認してみますね。
Anyway, I will check with the department if they can see you today.

□ 本日診察は可能ですが、少しお待ちいただくそうです。
The doctor says you can be seen today, but you may have to wait a while.

□ 申し訳ございませんが、本日は診察できません。
I'm afraid we cannot make an appointment today.

□ [明日以降のどこかで] 予約をお取りしましょうか？
Would you like to make an appointment [for another day]?

□本日、診察可能なクリニックをお探ししましょうか？

Would you like me to search for other clinics that are available today?

□紹介状をおもちでない場合、［初診料として］5400円頂戴します。

We will charge an additional 5400 yen [for first visit fee] if you don't have a referral letter.

*5,400 …five-thousand four hundred

□少々お待ちくださいませ。

Please wait here for <u>a bit</u>/<u>a moment</u>/<u>a second</u>.

✐上記のほかに短い時間を表わすおもな表現は、a couple of minutes/a few minutes「2〜3分」、for a while「しばらく」など。

□お調べしますので、少々お待ちいただけますか？

Please wait a moment while I check it.

□あまり長くはお待たせしないと思います。

It won't be long.

□お待たせいたしました。

Thank you for waiting.

□お待たせして申し訳ございません。

I am sorry to have kept you waiting [long].

□隣のカウンターでご相談ください。

Please ask at the next counter.

□この用紙を専門外来Aへおもちください。

Please take this **slip** to the **Specialty** Services A counter.

*sheet/slip「用紙」。
*specialty ［発音］スペシャルティ

□詳しくは、この用紙をお読みください。

Please refer to this sheet for more information.

□健康保険証はございますか？

Do you have a health **insurance** card?

*insurance ［発音］インシュアランス

□保険証をおもちでない場合、全額自費になります。
If you don't have a health insurance card, you will be responsible for paying the full fee.

□クレジットカードによるお支払いもできます。
You can also pay by credit card.

□順番が来るまで、お待ちください。
Please wait for your turn.

□この列の後ろに、お並びください。
Would you please wait in this line?

□この問診表に必要なことを記入してください。
Please fill out this medical history form.

□診察券をお預かりしてもよろしいでしょうか？
Can I have your Hospital ID card?

□診察券を裏返しにして機械に入れてください。
Turn the ID card around, and then insert it into this machine.

□6番のお部屋の前で、お名前が呼ばれるまでお待ちください。
Please wait in front of Room No. 6 till you are called.

□鈴木医師の診察日は、月・水・金曜日です。
Dr. Suzuki sees patients on Mondays, Wednesdays, and Fridays.

□鈴木医師は、本日はお休みです。
Dr. Suzuki is not available today.

□鈴木医師は、1月31日まで／今月中は／しばらくの間 お休みです。
Dr. Suzuki will be **unavailable** until January 31st/until the end of this month/for a while.
＊unavailable 発音アナ**ヴェ**イラボゥ

□鈴木医師は、当院を退職しました。
Dr. Suzuki no longer works at this hospital.

□今日は、ほかの医師の診察でよろしいですか？
Would you like to see another doctor today?

☐ 2階の検査室で採尿してきてください。

Please go to the Clinical Laboratory on the second floor and provide a **urine** sample.

＊urine 発音 **ユ**ーリン「尿」。

☐ 採取した尿は、そこの棚にご提出ください。

Place urine samples on that shelf.

☐ 1階の放射線科で、レントゲン撮影があります。

You will have an x-ray exam at the Radiology Department on the first floor.

☐ 採血後、もう一度、ここに来てください。

Please come back here after the blood is collected.

☐ そうですねぇ……。

Let me see...

☐ 恐れ入りますが、いたしかねます。

I am afraid I cannot do that.

☐ この用紙に記入して、ここにサインをお願いします。

Please fill out this form and sign here.

☐ 1階でお会計をお願いします。

Would you please go to the first floor and pay the bill at the **cashier**?

＊cashier 発音 キャ**シ**ア

☐ [お会計は] 1万6000円です。

That will be 16,000 yen.

＊16,000 …sixteen-thousand

☐ はい、どうぞ。＜釣り銭や領収書を渡すとき＞

Here you are.

まとめのミニ会話　*Sample dialogue*

受付にて

職員

こんにちは。何かご用ですか?
Hello. <u>May I help you</u>? / <u>Can I help you</u>?

ええ。こちらは小児科の受付ですか?
Yes. Is this the reception desk of the **Pediatrics** Department?

患者

＊pediatrics 発音 ピィーディ**ア**チュリクス「小児科」。

職員

はい、そうです。
Yes, it is.

今朝9時から予約をしているのですが。
I have an **appointment** at nine this morning.

患者

＊appointment 発音 ア**ポ**イントゥメントゥ「予約、約束」。

職員

お名前をお願いします。
May I have your name please?

スーザン・モランです。
Susan Moran.

患者

職員

名字はどのようにつづりますか?
How do you spell your **last name**?

＊last name「名字、姓」。…first name「名前、名」。

患者

M-O-R-A-N

職員

患者

M は、Mike の M ですか。
M, as in Mike?

そのとおりです。
That's right.

患者

①場面 受付で

職員

ありがとうございます。ご予約を確認いたしますので少々お待ちくださいませ。
Thank you. I will check your appointment, please wait a moment.

職員

モランさん、お待たせしました。ご予約を確認いたしました。こちらの用紙に記入していただけますか？
Thank you for waiting, Ms. Moran. Yes, I've found your appointment. Could you fill out this form, please?

はい。すみませんが、ペンをお借りできますか？
Sure. Excuse me, <u>may I use your pen</u>? / <u>can I borrow your pen</u>?

患者

✏ イギリスではボールペンを biro と商品名で代用させることも多い。

職員

もちろんです。どうぞ。
Certainly. Here you are.

ありがとう。
Thanks.

患者

職員

どういたしまして。
You're welcome.

13

会計にて

職員

本日の診療費は7万5000円です。こちらが診療明細書です。
Today's fee is 75,000 yen. This is the receipt for today's services.

*75,000 …seventy-five thousand

患者

クレジットカードで支払えますか？
Can I pay by credit card? /
Do you accept credit cards?

職員

はい、お使いいただけます。
Yes, you can. <Can I~? と聞かれたら> /
Yes, we do. <Do you~? と聞かれたら>

患者

<クレジットカードを差し出しながら>
こちらでお願いします。
Here you go.

職員

<カード処理が済み>
こちらにサインをお願いいたします。
Please sign here.

患者

はい。
Sure.

職員

ありがとうございます。いったん、全額をお支払いいただきますが、ご加入の保険会社に請求していただきますと還付されます。
Thank you. **Though** you have to pay the total fee first, you should be able to get a **reimbursement** by sending a **claim** to your insurance company.

* though 発音 ゾウ 「〜だけれども、〜であるが」。
* reimbursement 発音 リィンバースメント「払戻、返済、償還」。
* claim 発音 クレイム「(権利としての)請求、要求」。…✎「苦情、不満」の意味で使う「クレーム」は、英語では complaint

①場面 受付で

患者

そうですか。わかりました。
OK. I got it.

職員

こちらが保険会社提出書類一式です。
These are the documents for the insurance claim.

患者

ありがとうございます。では、こちらの書類を保険会社に送ればいいんですね?
Thank you. So, all I need to do is just send them to the insurance company, right?

職員

はい、そのとおりです。
Yes, that's right.

患者

いろいろとありがとうございました。
Thank you very much for your help.

職員

どういたしまして。お大事になさってください。
The pleasure is mine. Please take care.

Part 1 病院内のいろいろな場面

電話で
On the Telephone

相手に少しお待ちいただくのにも、電話特有の表現があります。

電話を受けるとき・かけるとき

□聖路加国際病院です。ご用件をどうぞ。
St. Luke's International Hospital. How may I help you?

□はい、田中正雄です。＜名乗りながら電話を受ける＞
Hello. This is Masao Tanaka speaking.

□聖路加国際病院の田中正雄と申します。
This is Masao Tanaka of St. Luke's International Hospital.

□どちら様ですか？
May I ask who's calling? / May I have your name, please?

□会社名を教えていただけますか？
Could you please give me your company's name?

□ブラウンさんですか？＜相手先を確認する＞
Is this Mr. Brown?

□ロスさんとお話をしたいのですが。＜患者宅へ電話をかける＞
I'd like to speak with Mr. Ross.

□ミラーさんはいらっしゃいますか？＜患者宅へ電話をかける＞
Is Ms. Miller available?

□少々お待ちください。
Just a moment, please. / Hold on a moment, please. / Hold the line, please.

□お待たせいたしました。
Thank you for waiting. / Thank you for holding.

□お待たせして申し訳ございません。
I'm sorry to have kept you waiting.

□山田は2人おりますが。
We have two people named Yamada here.

□こちらには、山田というものはおりません。
Sorry, but we do not have anyone named Yamada here.

□おつなぎいたします。
I'll put you through. / I'll connect you.

□山田が電話に出ております。どうぞお話しください。
Ms. Yamada is on the line. Please go ahead.

□私です。＜回してもらった電話に出るとき＞
Speaking. / This is he (she).

□どのようなご用件でしょうか？
May I ask what this is about?

□のち程、電話をかけ直します。
I will call you back shortly.

□診察には予約が必要ですので、係に電話を回します。そのまま少しお待ちください。
You need to make an appointment before your visit. I will connect you to the appointment desk. Please hold the line.

□予約受付デスクの番号、01-2345-6789にかけ直していただけますか？
Could you please call the appointment desk at zero-one, two-three-four-five, six-seven-eight-nine?

□内線9876番へお願いします。
Extension number nine-eight-seven-six, please.

＊extension [発音]イクステンション「内線、切換電話、延長」。

①場面　電話で

名指し人が不在・電話に出られないとき

不在の理由

□申し訳ございませんが、ただいま会議中です。
I'm afraid he (she) is in a meeting now.

□申し訳ございませんが、話し中です。
I'm sorry, but his (her) line is busy. / I'm sorry, but he (she) is on another line.

- I'm sorry, but は、相手の意に添わない状況を伝えるときのクッション言葉。以下の不在理由すべての前に付けられる。

□ただいま席を外しております。
He (She) is not at his (her) desk now. / He (She) is not in at the moment.

□本日は休みです。
He (She) is off today.

□本日はもう帰宅いたしました。
He (She) has already left for the day.

□産休中です。
She is on **maternity leave**.
- *maternity [発音]マ**タ**ナティ「妊婦の、分娩の、母らしさ、母性」。
- *leave [発音]**リ**ーヴ「休暇」。

□育児休暇中です。
He (She) is on child-care leave.

□ただいま来客中です。
He (She) has a **visitor** right now.
- *visitor [発音]**ヴィ**ジタ「来客、訪問者、見舞い客、滞在客」。

□ただいま立て込んでおります。
He (She) is tied up at the moment.

戻りの予定

□1 時間くらいで戻ります。
He (She) will be back in about an hour.

□5時までには戻ります。
He (She) will be back by five o'clock.

□すぐに戻ります。
He (She) will be right back.

□申し訳ありませんが、いつ戻るかわかりかねます。
I'm sorry, but I'm not sure when he (she) will be back.

かけ直し・伝言

□のち程こちらから、電話をさせます。
I will have him (her) call you back later.

□岡田が代わってお話を伺います。＜代わりのものに電話を回す＞
Mr. Okada will take the call for him (her).

□伝言を承りましょうか？
May I take a message? / Would you like to leave a message?

□伝言をお願いできますか？＜患者宅へ伝言を残す＞
Could you take a message, please? / May I leave a message?

□必ず申し伝えます。
I'll make sure that he (she) gets the message.

□電話があったことを伝えます。
I'll tell him (her) you called.

□確認いたします。15分後にお着きになるのですね？＜伝言内容の確認＞
Let me confirm that. You said you were arriving in 15 minutes, correct?

電話を終えるとき

□ほかに何かございますか？
Is there anything else I can do for you?

□お話は以上です。
That's it for now. / I think that covers everything.

□お電話ありがとうございました。
Thank you for calling.

□お電話をお返しくださってありがとうございます。
Thank you for calling back.

□それでは、また。
Speak to you soon. / Talk to you later.

間違い電話

□番号をお間違えのようです。
I think you have the wrong number.

□何番におかけですか?
What number are you trying to reach?

□こちらは 2345-6789 です。
This is two-three-four-five, six-seven-eight-nine.

□すみません。番号を間違えました。<かけ手の応答>
I'm sorry, I have the wrong number.

□ご迷惑をお掛けしてすみません。<かけ手の応答>
I'm sorry to have bothered you.

□どういたしまして。<謝罪の言葉に対して>
No problem.

まとめのミニ会話　　　*Sample dialogue*

不在対応

もしもし、ジョン・リーです。
会計担当の井上さんをお願いします。
Hello, this is John Lee.
I'm calling for Mr. Inoue of **Accounting**.
かけ手

＊accounting 発音 ア**カ**ウンティング 「会計、経理、計算」。

20

職員

申し訳ございません、井上は出張で名古屋におりますが。
I'm sorry but he's in Nagoya on business.

いつお戻りになるかわかりますか？
Do you have any idea when he'll be back?

かけ手

職員

明日中には戻ると思います。
It will **probably** be sometime tomorrow.

* probably [発音]プラバブリィ「おそらく、多分」。

私にお電話くださるようお伝えいただけますか？
緊急なんです。
Can you ask him to call me? It's urgent.

かけ手

職員

はい、お伝えします、リー様。井上はお電話番号を存じていますか？
Yes, certainly, Mr. Lee. Does he have your number?

ご存知だと思いますが、念のため申し上げておきます。
090-1234-5678 です。
I think he does, but I'll give it to you just in case. It's zero-nine-zero, one-two-three-four, five-six-seven-eight.
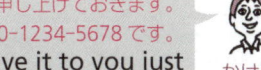
かけ手

職員

ありがとうございます。いつお電話させればよろしいですか？
Thank you. When is a good time to have him return your call?

できるだけ早く私に連絡くださるようお伝えいただけますか？
Will you please ask him to call me as soon as possible?

かけ手

① 場面　電話で

職員

かしこまりました。
Certainly.

ありがとうございます。
Thank you for your help.

かけ手

職員

どういたしまして。よい一日を。
You're welcome. Have a good day.

ありがとう。あなたも。
Thank you. You too.

かけ手

Part 1 病院内のいろいろな場面

診察室で
In the Consultation Room

スタッフからの質問と患者さんが答える症状の両方をまとめました。

問 診

□[診察室に] お入りください。
Please come in.

□お待たせいたしました。
I am sorry to have kept you waiting.

□ここにお座りください。
Please have a seat here.

□今日はどうされましたか?
How can I help you today?

□ほかの症状はいかがですか?
Do you have any other symptoms?

□具合が悪くなってからどれくらいたちますか?
How long have you had this problem?

□今朝は何度くらいありましたか?
What was your temperature this morning?

□体温を測ってみましょう。
Let's take your temperature.

□体温計を脇の下に挟んでください。
Can you please place/keep the **thermometer** under your arm?
＊thermometer [発音]サーママター「体温計」。

□今シーズンはインフルエンザの予防接種を受けましたか?
Did you get a **flu shot** this year?
＊flu [発音]フルゥ「インフルエンザ、流感」。
＊shot [発音]シャット「注射、発砲、発射」。

症状(患者さんの答え)

☐ 咳が出ます。
I have a cough.

☐ しつこい咳が出て、痰も出ます。
I have a **persistent** cough and **phlegm**.
* persistent [発音]パーシスタン「しつこい、頑固な」。
* phlegm [発音]フレム「痰」。

☐ 鼻水が止まりません。
I have a runny nose.

☐ 鼻がつまって息ができません。
I can't **breathe** well because my nose is **stuffy**.
* breathe [発音]ブリーズ「呼吸する、息をする」。
* stuffy [発音]スタフィ「詰まった、風通しの悪い」。

☐ ぞくぞくして、寒気がひどいのです。
I'm **shivering**, and I have the **chills**.
* shiver [発音]シヴァ「震える」。
* chill [発音]チル「寒気、冷え」。

☐ 喉が痛くて、鼻づまりもあります。
I have a sore throat and my nose is **stuffy**.

☐ 昨日から急に熱が出て、寒気が治まりません。
I suddenly developed a fever yesterday, and I've had the chills ever since.

☐ 熱があります。
I have a **fever**. / I have a **temperature**. / I've got a **fever**.
* fever [発音]フィーヴァ「熱、発熱」。
* temperature [発音]テンパラチュア「体温、気温、高熱」。

☐ 微熱があります。
I have a **slight** fever.
* slight [発音]スライト「わずかな、ちょっとした」。

☐ 熱っぽいんです。
I feel **feverish**.
* feverish [発音]フィーヴァリシュ「熱っぽい、熱のある」。

□今朝は 38.5 度くらいでした。

　It was about 38.5 degrees this morning.

　＊38.5 …thirty-eight point five

□体がとてもだるい感じがします。

　I feel very tired.

□頭が痛いです。

　I have a headache. / My head hurts.

□関節が痛いです。

　I have **joint** pain. / My joints hurt.

　＊joint 発音 ジョイント「関節、継ぎ目」。

□腰が痛いです。

　I have back pain. / I have a backache. / My back hurts.

□肩(首)が凝っています。

　I have **stiff** shoulders (**a stiff** neck).

　＊stiff 発音 スティフ「硬直した、凝った、硬い」。

□下痢をして、おなかが痛いです。

　I have **diarrhea** and a stomachache.

　＊diarrhea 発音 ダイアリィア「下痢」。

□昨晩はもどしました(吐きました)。

　I **threw up/vomited** last night.

　＊throw up 発音 スロウアップ「吐く」。…【過去】threw 発音 スルウ

　＊vomit 発音 ヴァミット「吐く、もどす」。

□耳鳴りがします。

　My ears are ringing.

□インフルエンザの予防接種を受けました。

　I got a flu shot/**vaccination**.

　＊vaccination 発音 ヴァクサネイション「ワクチン接種」。

① 場面　診察室で

診 察

□これから診察を始めてもよろしいですか？
I'd like to examine you now if that's OK.

□まず胸から診ます。
I'll start off with your chest.

□シャツ(上衣)を上げていただけますか？
Would you please pull up your shirt (top)?

□背中側を診ますので後ろを向いてください。
Please turn around so I can examine you back.

□ゆっくりと呼吸をしてください。
Please take slow, deep **breaths**, in and out.
 * breaths 発音 ブレス「呼吸、息」。

□肺の音、心臓の音を聴診させてください。
I will listen to your chest and heart [with my **stethoscope**].
 * stethoscope 発音 ステサスコゥプ「聴診器」。

□おなかを診ますので、ベルトをゆるめていただけますか？
Please **loosen** your belt so I can examine your **stomach**.
 * loosen 発音 ルースン
 * stomach 発音 スタマク「おなか」。…【医】abdomen 発音 アブダマン「腹部、腹」。

□脈を取らせてください。
May I feel your **pulse**?
 * pulse 発音 パルス「脈」。

□血圧を測ります。
Let me **measure** your blood pressure.
 * measure 発音 メジャ

□おなかを押します。
I am going to press down on your stomach.

□痛かったら言ってください。
Please let me know if it hurts/is painful.

□ここを触ると痛いですか？＜触りながら＞
Does it hurt here/when I press on/when I touch this area?

□ここは痛いですか？　それとも痒いですか？
Do you feel any pain or **itchiness** here?
* itchiness [発音]イッチネス「痒み」。

□それは鈍い痛みですか、それともズキズキする痛みですか？
Is the pain **dull** or sharp?
* dull [発音]ダル「鈍い」。

□痛みは持続的ですか？　それとも寄せては引くような痛みですか？
Is the pain always there or does it come and go?

□脇の下と首を触りますね。
I'm going to feel around your **armpits** and neck now.
* armpits [発音]アームピッツ「脇の下」。

□口を開けてください。喉を拝見します。
Please open your mouth so that I can have a look at the back of your **throat**.
* throat [発音]スロゥト「喉」。…関連語【医】uvula [発音]ユーヴュラ「口蓋垂」。

□体温を測りますので、これ（体温計）を舌の下に入れてください。
Please place this (*thermometer*) under your **tongue** so that I can take your temperature.
* thermometer [発音]サーモマター
* tongue [発音]タン「舌」。

□ベッドに仰向けになってください。
Please lie on your back on the **table**.
* table「（病院の）ベッド」。

□ベッドにうつ伏せになってください。
Please lie on your face on the table.

□右（左）を下にして横向きで寝てください。
Please lie on your right (left) side.

① 場面　診察室で

☐首を右(左)に傾けてください。
　Please turn your head to the right (left).

☐首を前屈(後屈)してください。
　Please **tilt** your head **forward** (**backward**).
　* tilt 発音 ティルト「傾ける」。
　* forward 発音 フォーワード
　* backward 発音 バックワード

☐[こんなふうに] 両腕を上げてください。
　Please **raise** your arms [like this].
　* raise 発音 レイズ「上げる」。

☐昨夜、何回小用にいきましたか？
　May I ask you how many times you **urinated** last night?
　* urinete 発音 ユーラネイト「排尿する」。

☐昨日、何回排便しましたか？
　How many times did you pass **stools**/have bowel movement/empty your **bowels** yesterday?
　* stool 発音 ストゥール「大便」。
　* bowels 発音 バウルズ「腸」。bowel の複数形

☐朝食は食べましたか？
　Did you have breakfast today?

☐目を診察させてください。
　Please show me your eyes.

☐風邪だと思います。
　I think you've caught a cold.

☐外から帰ったら手洗いとうがいをしてください。
　Wash your hands and **gargle** when you get home.
　* gargle 発音 ガーゴゥ 動「うがいする」名「うがい、うがい薬」。

☐喉を診察します。口を開けて「あー」と言ってください。
　I'm going to look at your throat. Please open your mouth and say, "Aaah."

診 断

□インフルエンザ治療薬を処方します。暖かく安静にして、なるべく水分をとるようにしてください。

I am going to **prescribe** some flu medicine for you. Please get some rest, keep warm, and drink a lot of **liquid**.

＊prescribe ［発音］プリスク**ラ**イブ「処方する」。
＊liquid ［発音］**リ**クウィド「液体」。

□今日は、お風呂は控えてください。

You shouldn't take a bath today. / Please don't take a bath today.

□シャワーを浴びてもいいです。

You can take a shower.

□1日3回、食後にこの薬を服用してください。

Please take this medicine three times a day, after meals.

□熱があるようであれば、この薬を飲んでください。

Take this medicine if you have a fever.

□少なくとも6時間の間隔をおいてください。

Please wait at least six hours before you take your next **dose**.

＊dose ［発音］**ド**ウス「1回分の服用量」。

□処方箋を出します。すぐによくなるでしょう。

I will give you a prescription. You should feel better soon.

□この薬は空腹時に服用しないでください。

Please do not take this medicine on an empty stomach.

□薬はすべて飲みきってください。

Once you start this medicine, please finish the entire course.

□十分な栄養と睡眠をとってください。
Eat well and get plenty of sleep.

□2〜3日たってまだ症状が続くようでしたら、また来てください。
If you still have **symptoms** after a few days, please come back again.
*symptom 発音 **シ**ンプタム「症状、徴候」。

□仕事をせず、ゆっくりと休んでください。
It's best that you don't go to work at the moment and just rest.

□無理はしないでください。
Please don't push yourself too hard.

□激しい運動は避けてください。
Please avoid **vigorous** exercise.
*vigorous 発音 **ヴィ**グラス「活発な、精力的な」。

□検査の結果は5日後に出ます。
You'll get the test **results** in five days.
*results 発音 リ**ザ**ルツ
*examinations 発音 イグザミ**ネ**イシャンズ

□1週間後にまた診察を受けてください。
Please come back for a follow-up in a week.

□1週間に2〜3回通院してください。
Please come to the hospital two or three times a week.

□お大事になさってください。＜診察終わりの別れ際の文句＞
Please take care of yourself.

□ではごきげんよう！（よい週末を！）
Have <u>a good day</u> (<u>a nice weekend</u>)!
✏返答は You too!「あなたもね！」

□またね！／また今度！
See you next time!

まとめのミニ会話　　*Sample dialogue*

診　察

職員： モランさん、どうぞお入りください。
Ms. Moran, please come in.

医師： こんにちは、モランさん。私は医師の山田です。今日はどうされましたか？
Hello, Ms. Moran. I am Dr. Yamada. How can I help you today?

母親： もうすぐ3歳になる娘が昨日から熱があり、鼻水や咳が出ています。
My daughter is almost three years old. She has a fever since yesterday, and also a **runny** nose and a cough.

＊runny 発音 ラニィ「流れやすい」。…runny nose「鼻水の出る鼻」。

医師： では、ちょっと（聴診器で）胸の音を聞いてみましょう。
I see. May I listen to her chest?

医師： （娘に）喉を見せてください。口を開けて「あー」と言ってください。（母親に）喉も腫れて赤くなっています。
(to daughter) I'll need to look at your throat. Please open your mouth and say, "Aaah." (to mother) Her throat looks swollen and reddish/**inflamed**.

＊inflamed 発音 インフレイムド「炎症を起こした、赤く腫れた」。

①場面　診察室で

母親: 夜あまりよく眠れていないようで、何度も咳で起きてぐずって泣いていました。
She did not sleep well last night, and **woke up** several times, coughing and crying.

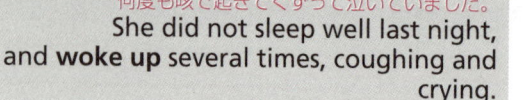

*woke up「起きた」。…wake up「起きる」の過去形。

医師: （母親に）風邪のようです。心配いりませんよ。
It seems that she has a cold. I don't think you need to worry.

医師: お薬を出しましょう。お薬を飲ませれば、じきによくなるでしょう。
I will **prescribe** some medicine. Please give her the medicine. She will get better soon.

*prescribe 発音 プリスク**ラ**イブ「処方する、処方を書く」。

母親: ありがとうございます。
Thank you.

医師: 2～3日たってまだ症状が続くようでしたらまた来てください。
If she still has **symptoms** after a few days, please come back and see me.

*symptoms 発音 **シ**ンプタムズ…symptom「症状、徴候」の複数形。

医師: さようなら。お大事に。
Goodbye. Take care.

Part 1 病院内のいろいろな場面

病室で
In the Patient's Room

簡単なフレーズから、入院患者さんとの会話を始めましょう。

□看護師の鈴木です。本日、担当いたします。
　Hello, I am Nurse Suzuki. I will be taking care of you today.

□おはようございます。昨夜はよく眠れましたか？
　Good morning. Did you sleep well last night?

□何かご用がありましたら、ナースコールで呼んでください。
　Please push the **button** to call the nurse if you need any help.
　＊button 発音 バトゥン「ボタン、押しボタン」。

□何かご用ですか／お呼びですか？
　Can I help you?

□失礼します。＜病室に入るとき＞
　May I come in?

□こちらへどうぞ。
　This way, please.

□ご気分はいかがですか？
　How do you feel? / How are you feeling?

□何かしてほしいことがあれば私にお申し付けください。
　Please let me know if you need any help.

□お部屋は暑い(寒い)ですか？
　Is the room too **hot (cold)**?
　＊hot 発音 ハット「暑い」。
　＊cold 発音 コウルド「寒い」。

①場面　病室で

□お部屋はむっと(冷え冷えと)していますか？

Is the room stuffy (chilly)?

* stuffy 発音 ス**タ**ッフィ「風通しの悪い、むっとする」。
* chilly 発音 **チ**リィ「冷え冷えする」。

□少し暑いですね。窓を開けてきれいな空気を入れましょう。

The room is a bit stuffy. Let's open the window and let some fresh air in.

□歯磨き(洗面)をお手伝いします。

Let me help you brush your teeth (wash your face).

□これからお体をお拭きします。

I am going to give you a bed bath.

□これからシャワーを浴びますか？

Would you like to take a shower now?

□売店(ナースステーション/自動販売機)はどこかわかりますか？

Do you know where the gift shop (the nurses' station/the vending machine) is?

□売店は1階(2階/3階)にあります。

The gift shop is on the first (second/third) floor.

□この廊下のつきあたりにあります。

It is at the end of this hallway/corridor.

* hallway 発音 **ホ**ルウェイ「廊下」。
* corridor 発音 **コ**ーラドー「廊下」。

□あちら右手(左手)にあります。

It is over there on your right (left).

□ベッドから落ちないように柵を付けておきましょう

To prevent you from falling, I am going to put the side rails up.

* rail 発音 **レ**イル「横棒、手すり」。

□多少痛みます。

This may hurt a little.

* hurt 発音 **ハ**ート(フーとハーの中間)「痛む」。

□この車イスに移ってください。

Please sit in this wheelchair.

＊wheelchair 発音 **ウィ**ールチェア「車イス」。

□ブラインドを上げましょうか(おろしましょうか)？

Shall I raise (lower) the shade?

＊raise 発音 **レ**イズ「上げる、掲げる」。

＊lower 発音 **ラ**ウアー「低くする、下げる」。

＊shade 発音 **シェ**イド「ブラインド」。

□自分でボタンがかけられますか？

Can you do the buttons yourself?

□ボタンを外してください。

Please undo your buttons.

＊undo 発音 アン**ドゥ**「(ボタンなどを)外す」。

□これはちょっと不快かもしれませんが、痛くはありませんよ。

This will be slightly uncomfortable, but it shouldn't hurt.

＊uncomfortable 発音 アン**カ**ンファタボ「心地良くない」。

＊shouldn't 発音 シュ**ドゥ**ン should not の短縮形

□食事以外にどれくらい水分をとりましたか？

How much fluid did you drink in addition to your meal?

＊fluid 発音 フ**ル**ーイド「流体」。

□食欲はいかがですか？

How's your appetite?

＊appetite 発音 **ア**パタイ「食欲」。

□足元にお気を付けください。

Please watch your step.

① 場面

病室で

35

□血圧、体温、脈拍を測ります。

I will measure your blood pressure, temperature and pulse.

* measure [発音]メジャ「測る」。
* blood [発音]ブラッド「血液」。
* pressure [発音]プレショ「圧力、血圧」。
* pulse [発音]パルス「脈」。

□どこか痛みますか？

Do you have any pain?

* pain [発音]ペイン「痛み」。

□苦しいことがありますか？

Do you feel any discomfort? / Are you having any discomfort?

* discomfort [発音]ディスカンファト「不安、不快」。

□何か心配ごとがありますか？

Are you worried about anything? / Do you have any concerns?

□この薬を飲んでください。

Please take this medicine.

* medicine [発音]メディスン「薬、内服薬」。

□昨日の排尿と排便の回数を教えてください。

Please tell me how many times you urinated and had bowel movement yesterday.

* urinate [発音]ユーラネイト「排尿する、小便をする」。
* bowel [発音]バウアル「腸」。…bowel movements「便通」。
* その他の排尿・排便についての表現。①pee [発音]ピー「おしっこをする」…【口語】。urinate で伝えられなければこちらを使ってみる。②defecate [発音]デフィケイト「排便する」…専門的な直接表現。③poop [発音]プープ「うんちをする」…【口語】。
Please tell me how often you **peed** and **pooped** yesterday.「昨日は、おしっことうんちを何回しましたか？」。

□もう１枚毛布を足しましょうか？

Would you like to have another blanket?

□歩くときには手を引いて差し上げます。
I will hold your hand while (when) we walk.

□片肘立ちでゆっくり体を起こしましょう。
Please try to get up onto your **elbow** slowly.
＊elbow 発音 エルボウ「肘」。

□まもなく医師が回診にきます。
The doctors will be making their **rounds** in a few minutes.
＊round 発音 ラウンド「往診、巡回」。

□緊急連絡先を教えてください。
May I have your **emergency** contact information?
＊emergency 発音 イマージェンスィ「緊急の、非常時の」。

□面会時間は、平日は午後3時から8時まで、週末と祝日は午前10時から午後8時までです。
Visiting hours are from 3 p.m. to 8 p.m. on weekdays, and from 10 a.m. to 8 p.m. on weekends and holidays.

□おやすみなさい。
Good night.

まとめのミニ会話　　*Sample dialogue*

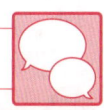

紹　介

看護師: おはようございます、ハリスさん。
Good morning, Mr. Harris.

患者: おはようございます、田中さん。
Good morning, Ms. Tanaka.

①場面　病室で

看護師: 鈴木さんを紹介します。彼女は聖路加国際大学の学生です。
Let me introduce Ms. Suzuki. She is a student at St. Luke's International University.

学生: はじめまして、ハリスさん。鈴木と申します。
Nice to meet you, Mr. Harris.
I am student nurse Suzuki.

患者: はじめまして、鈴木さん。
It's a **pleasure** to meet you, Ms. Suzuki.

＊pleasure 発音 プレジャ 「喜び、光栄、うれしいこと」。

小児科にて

医師: ジェニファーちゃん、ちょっとチックンするよ。大丈夫だよね。おねえさんだもんね。
Jennifer, you're going to feel a little **prick**.
You're going to be just fine.
You're such a big girl.

＊prick 発音 プリック 「(針・とげなどで)刺すこと、針、うずき」。

医師: ほら、ジェニファーちゃん、ミッキーマウスだよ。
Jennifer, look! It's Mickey Mouse!

医師: お母さん、ジェニファーちゃんの体を押さえていてください。
Ms. Brown, would you mind holding Jennifer still?

Ms. Brown: わかりました。
OK.

医師: もうちょっとがまんしてね。もうすぐ終わるよ。じっとしててね。
Hold on just a little more. We're almost done. Please don't move.

看護師: ジェニファーちゃん、がんばったね。えらいね。
Jennifer, you did a great job. You're such a good girl!

医師: ジェニファーちゃん、はい、終わったよ。そんなに痛くなかったでしょ？
Jennifer, it's all over! It wasn't so bad, was it?

① 場面　病室で

Part 1 病院内のいろいろな場面

薬局・調剤窓口で
At the Pharmacy

薬剤の効果や注意の説明は、慎重・確実に。

説　明

□これはうがい薬です。

   This fluid is for gargling.
   * gargle 発音 **ガ**ーグル …名「うがい、うがい薬」動「うがいする」。

□1日数回うがいをしてください。

   Gargle several times a day.

□このお薬は、次のような効果があります。

   This medicine has the **following effects**.
   * following 発音 **ファ**ロウイング「以下の、次に続く」。
   * effects 発音 イ**フェ**クツ「効果、効能」。

□痛みを和らげます。

   It **eases** pain.
   * ease 発音 **イ**ーズ「和らげる、緩和する」。…【三人称・単数・現在形】eases 発音 **イ**ーズィズ

□興奮・イライラを鎮めます。

   It will **calm** you down.
   * calm 発音 **カ**ーム「鎮める」。

□炎症を鎮めます。

   It has an anti-**inflammatory** effect.
   * inflammatory 発音 インフ**ラ**マトーリ「炎症を起こす、炎症性の」。

□熱を下げます。

   It brings down fever.

□咳を止めます。
   It stops **cough**.
   *cough 発音**カ**フ／**コー**フ「咳、咳払い」。

□血圧を下げます。
   It lowers blood pressure.

□痰を取ります。
   It reduces **phlegm/sputum**.
   *phlegm 発音**フ**レム「痰」。
   *sputum 発音ス**ピュー**タム「痰」。

□風邪(喘息)のお薬です。
   This medicine is for colds (**asthma**).
   *asthma 発音**ア**ズマ「喘息」。

□抗生物質です。
   This is an **antibiotic**.
   *antibiotic 発音アンティバイ**ア**ティック「抗生物質」。

□抗ウィルス剤です。
   This is an **antiviral**.
   *antiviral 発音アンティ**ヴァ**イラル「抗ウィルス剤」。

□睡眠薬です。
   This is a sleeping pill.

□糖尿病のお薬です。
   This medicine is for **diabetes**.
   *diabetes 発音ダイア**ビ**ティーズ「糖尿病」。…形 diabetic 発音ダイア**ベ**ティック「糖尿病の」。

□ビタミン剤です。
   These are vitamins.

□吐き気を抑えます。
   It relieves **nausea**.
   *nausea 発音**ノ**ージア「吐き気、むかつき」。

①場面　薬局・調剤窓口で

注 意

□お薬の効果と諸注意です。

These are the indications and precautions relevant to your medicines.

＊precautions [発音]プリコーションズ「注意事項、諸注意」。
＊relevant [発音]レラヴァン「関連した」。
＊medicines [発音]メダサンズ「薬品、医薬品」。

□お薬の用法・用量は、□(四角)内にチェックを入れましたので、それに従って正しく服用・使用してください。

The checked boxes show the correct dosage and way to take of the medicine. Please follow the instructions.

＊dosage [発音]ドウセイジ「1回分の服用量」。

□グラス1杯の水で服用してください。

Take the medicines with a glass of water.

□よく振ってから服用してください。

Shake well before use.

＊use [発音]ユース「使用」。

□水(お湯)に溶かして服用してください。

Dissolve in water (hot water) before use.

＊dissolve [発音]ディザルヴ「溶かす」。

□子どもの手の届かないところに保存してください。

Keep out of reach of children.

□冷蔵庫の中で保存してください。

Store in the refrigerator.

＊refrigerator [発音]リフリジャレイタ …【略】fridge [発音]フリッジ。【関連語】freezer「冷凍庫」。fridge-freezer「冷蔵冷凍庫」。

□これらのお薬は眠くなることがありますので、車の運転や機械操作などはしないでください。

Do not drive or operate **machinery** as these medicines may cause **drowsiness**.

* machinery ［発音］マシーナリ「機械」。
* drowsiness ［発音］ドラウズィネス「眠気」。

□このお薬を服用後1時間は牛乳やお茶を飲まないでください。

Do not drink milk or tea for one hour after taking this medicine.

□尿や便の色が変わることがありますが、心配ありません。

The color of your **urine** and **stool** may change, but don't worry.

* urine ［発音］ユーリン「尿、小便」。
* stool ［発音］ストゥール「大便」。

□お酒と一緒に飲むと薬の作用が強く現れることがありますので、飲酒は控えてください。

Avoid drinking alcohol as it may strengthen the effect of the medicines.

□薬を飲んで体の調子がおかしいと感じたときは、服用を中止して医師または薬剤師に相談してください。

Stop taking these medicines and **consult** your doctor or **pharmacist** if you feel something is wrong after taking them.

* consult ［発音］コンサルト「診察してもらう」。
* pharmacist ［発音］ファーマスィスト「薬剤師」。

□症状が消えてもお薬は最後まで飲んでください。

Please continue to take this medicine until all **prescribed doses** have been taken, even if the **symptoms** have already disappeared.

* prescribe ［発音］プリスクライブ「処方する」。
* doses ［発音］ドウセズ「一服・服用量の複数形」。
* symptom ［発音］スィンプタム「症状・徴候」。

①場面 薬局・調剤窓口で

□ご質問があれば、遠慮なくお尋ねください。

If you have any questions, please feel free to ask us.

ボキャブラリー　　　　　　　　　　*Vocabulary*

例文Ⓐ Ⓑ それぞれの下線部分が、表中のフレーズに置き換え可能。
Ⓐ Take the medicines <u>in the morning</u>.

服用する時期	When to take medicines
午前	in the morning
午後	in the afternoon
夜	in the evening
寝る前	at bedtime
起床時	right after waking up/first thing in the morning
食前	before meals
食後	after meals
食後 2 時間	two hours after meals
〜時間毎	every〜hours
食直前	right before meals
食直後	right after meals

Ⓑ Take <u>one tablet(①)</u> <u>three times a day(②)</u>.

❶服用する量	Dose
〜錠	〜tablet(s)
〜カプセル	〜capsule(s)
〜包	〜pack(s)
〜滴	〜drop(s)
❷服用する回数	The number of times to take
1 日 1 回	once a day
1 日 2 回	two times/twice a day
1 日 3 回	three times a day
2 日に 1 回	every other day
1 週間に 1 回	once a week

Part ① 病院内のいろいろな場面

コミュニケーションに役立つ表現
Handy Expressions

円滑なコミュニケーションには、うなずきが大切です。

クッション表現・あいづち

□恐れ入りますが、もう一度おっしゃってください。
I beg your **pardon**? / **Pardon** me? / Could you repeat that, please?
＊pardon [発音]パードン「許し、容赦、許す、大目に見る」。

□今、何とおっしゃいましたか？
What did you say, please? / Sorry? / I'm sorry, I couldn't quite catch what you said. / Can you repeat yourself?

□もう少しゆっくり話してください。
Please speak a bit more slowly.

□それはどういう意味ですか？
What do you mean?

□大丈夫ですか？
Are you alright? / Are you OK?

□承知しました。
All right. / OK.

□結構です。／いいですね。
Fine. / Good.

□そう思いますか？
Do you think so?

□そう思います。
I think so. / I believe so.

□そうだといいですね。
I hope so.

□それを聞いてうれしく思います。
I'm glad to hear that.

□とんでもない。
No, not at all.

□何というか……。
How should I say...

□いえ、というか……。
No, but I mean...

□どういたしまして。＜謝辞に対して＞
You're welcome.

□本当ですか？
Really?

□ええっと……。／そうですねぇ……。
Let me see. / Let's see. / Well.

□そうです。／そのとおりです。
That's right.

□わかりました。／なるほど。
I see. / Indeed.

□それはよかったですね。
That's good. / That's nice. / I am happy to hear that.

□喜んでいたします。／もちろんです。＜何かを依頼されて＞
With pleasure. / Certainly. / Sure.

Part 2

検査の際に

採血室で	48
放射線科で	50
その他の検査で 1	56
その他の検査で 2	62

Part ❷ 検査の際に

採血室で
At the Clinical Laboratory

採血の注射針を前にした患者さんの緊張を解いてください。

☐血液検査をします。
　We will test your blood.

☐血液を採りますね。
　I'm going to take a blood sample.

☐袖をまくってください。
　Roll up your sleeve, please.

☐この肘掛けに腕を置いてください。
　Please put your arm on this armrest.

☐手をギュッと握ってください。
　Could you make a **fist**, please?
　＊fist 発音 **フィ**スト「握りこぶし、げんこつ」。

☐駆血帯を巻きます。きつかったら教えてください。
　I will tie the **tourniquet** around your arm. Let me know if it's too tight.
　＊tourniquet 発音 **ト**ウニケイト「止血帯、駆血帯」。

☐反対側の腕を見せてください。
　May I check your other arm?

☐大きな静脈を選んでいます。
　I am looking for a big vein.

☐消毒します。アルコールのアレルギーはありますか？
　I will **clean** your skin. Are you allergic to alcohol?
　＊clean「消毒する」。…【医】sterilize 発音 ス**タ**ーララァイズ

□ちょっとチクッとしますよ。

You will feel a sharp prick.

* sharp [発音]シャープ「鋭い、鋭利な」。
* prick [発音]プリック「針、トゲなどで刺すこと」。

□気分が悪くなったり、痛みがひどいときは教えてください。

Let me know if you feel sick or if it is very painful.

□手を楽にしてください。5分くらいはここをしっかりと押さえていてくださいね。

Relax your hand. Please press here for about five minutes.

□尿検査をしますね。

We're going to do/run a urine test.

* urine [発音]ユーリン「尿、小便」。

□尿検査をしますから、このコップに3分の1くらい採ってきてください。

You're here for a urine test, so please fill the cup about one-third.

□途中の尿を採ってきてください。

Please start collecting the urine in midstream.

* midstream [発音]ミドストリーム「流れの中ほど、途中」。

□25 mLの線(赤線)以上、尿を採ってください。

Please urinate into the cup up to the 25 mL (red) line.

* urinate [発音]ユーラネイト「排尿する、小便をする」。

□尿量が十分でない場合は、スタッフにお声がけください。

If you can't produce enough urine, please let the staff know.

②検査　採血室で

Part 2 検査の際に

放射線科で
At Radiology

患者さんを、短い言葉でスムーズに誘導します。

レントゲン撮影

□胸部レントゲンを撮ります。
 We're going to take a chest X-ray.

□妊娠の可能性はございませんか?
 Is there any possibility that you may be **pregnant**?
 ＊pregnant [発音]プレグナン [形]「妊娠した」。

□検査中に気分が悪くなったらお知らせください。
 Let us know if you feel sick/unwell during the test.

□服を脱いで、ガウンに着替えてください。
 Could you please take off your **clothes** and change into this **gown**?
 ＊clothes [発音]クロウズ「衣服、衣類、服」。
 ＊gown [発音]ガウン「ガウン、寝間着」。

□上半身の衣服を脱いでください。
 Please remove your clothes above the **waist**.
 ＊waist [発音]ウェイストゥ「ウエスト、胴のくびれた部分」。

□この検査着を着てください。
 Please put this **examination** gown on.
 ＊examination [発音]イグザミネイシャン「検査」。

□アクセサリーを取ってください。
 Please take off any **accessories**.
 ＊accessories [発音]アクセサリィズ … accessory の複数形。

□この板に胸を付けてください。
  Please press your chest **against** this panel.
  *against 発音アゲインストゥ「～に接触して、にもたれて」。

□顎を台に付けてください。
  Please place your **chin** on this board.
  *chin 発音チン「顎」。

□両手を腰に当ててください。
  Please put your hands on your hips.

□もう少し右(左／前／後ろ)に寄っていただけますか？
  Please move a little to your right (left/front/back).

□はい、息を大きく吸ってください。
  Okay, please take a deep **breath**.
  *breath 発音ブレス「息、呼吸」。

□息を止めて動かないでください。
  Please hold your breath and don't move.

□息を吐いて楽にしてください。
  Relax and **breathe** out please.
  *breathe 発音ブリィーズ「息をする、呼吸する」。

□はい、息を吸ってもいいですよ。
  Okay, you can breathe now.

□息を深く吸ったり吐いたりしてください。
  Take a deep breath in and out, please.

□両手を上げて、頭の上で肘を抱えるようにしてください。
  Please raise both arms above your head and grab your elbows.

□身体の右側(左側)を板に寄せてください。
  Please turn the right (left) side of your body toward the panel.

□位置確認のために体を触ります。
  I need to touch you to check the position.

②検査 放射線科で

□息を吸って……吐いて……、息を止めてください。

Please **breathe in** ... then **breathe out** ... and hold your breath.

* breathe in 発音 ブリィー**ズィ**ン「息を吸う」。
* breathe out 発音 ブリー**ザ**ウトゥ「息を吐く」。

□私のほうを向いてください。

Turn towards me, please. / Face me, please.

□身に付けている金属は外してください。

Please remove any metallic things on you.

□楽にしてくださいと案内があるまで、しっかり息を止めていてください。

Please be sure to hold your breath until you are told to relax.

□撮影の間は、動かないでください。よい画像が得られません。

Please don't move, keep still during the scanning, or we will not be able to get a good image.

□造影剤の量は体重で決まります。体重は何kgですか？

The amount of contrast agent depends on your **weight**. How much do you **weigh**?

* weight 発音 **ウェ**イトゥ 名「重さ」。
* weigh 発音 **ウェ**イ 動「重さが〜である」。

□造影剤が体の中に入っていくと体が温かくなりますが、心配ありません。

When the contrast agent is administered, you may feel warm, but don't worry.

□気分が悪くなったり痛みを感じたりしたら、手を上げて教えてください。

If you feel sick or have any pain, please raise your hand and let us know.

□造影剤を入れていきます。
Now I am going to inject the contrast agent.

□全部入り終わると、温かさは消えていきます。
After the contrast agent has been completely administered, the sensation of warmth will disappear.

MRI検査

□狭いところが苦手ではないですか？
Do you have any problems being in confined spaces?

□とてもうるさい音のする検査なので、この耳栓／ヘッドホンをしてください。
The machine will make a loud noise, so please wear these **earplugs/headphones**.
* earplug 発音 **イ**アプラァグ「耳栓」。
* headphone「ヘッドホン」。…2つ一組のため通例は複数形。

□気分が悪くなったり吐き気がしたりしたときは、ブザーを握って知らせてください。
If you feel sick or **queasy**, please let us know by squeezing the buzzer.
* queasy 発音 ク**ウィ**ズィー「吐き気がする」。

マンモグラフィ検査

□お顔を左(右)向きにお願いします。
Please turn your face to the left (right).

□右(左)頬を板に付けてください。
Please put your right (left) cheek against this board.

□痛みががまんできないときは教えてください。
Let me know if the pain is **unbearable**.
* unbearable 発音 アン**ベ**ァラボゥ「耐えられない、がまんできない」。

□乳房を引き出し、広げます。

I am going to adjust your breast and apply pressure on it.

□次に、方向を変えて斜め方向の撮影をします。

Next, I'm going to change the direction and take an X-ray from the side.

□脇の下をこちらの角に合わせてください。

Please place your armpit on this corner.

□もう一方の乳房が写り込まないように手で押さえていてください。

Please hold your other breast out of the way with your hand so it doesn't get into the picture.

放射線治療

□治療計画を立てるためのCT撮影をおこないます。

You are going to have a CT scan so that we can decide how to treat you.

□体（マスク）にしるしを書いていきます。

We will make some marks on your skin (mask).

□しるしが消えないように気を付けてください。

Please make sure that the marks on your body don't disappear.

□体の位置を合わせていきます。

I am going to position your body in the starting pose.

□しるしが合っているか写真を撮って確認します。

I'll take an X-ray to make sure the mark is in the right position.

□放射性医薬品を腕から注射します。

Radioactive medicine will be injected into your arm.

＊radioactive 発音 レイディオ**ア**クティヴ「放射性のある」。

□薬剤を投与すると口腔内に苦みや金属臭を感じることがあります。
You may feel a bitter or metallic taste in your mouth after taking the medication.

□注射後2時間(日)で検査をおこないます。
We will examine you 2 hours (days) after the injection.

□カメラが体に近づきます。
The camera will move toward you.

□検査中は光の刺激を避けるため、目隠しをしていただきます。
Please wear an eye mask during the examination to prevent the light from bothering you.

□検査前にトイレへ行ってください。
Before the examination, please use the bathroom.

Part ② 検査の際に

その他の検査で 1
Other Tests（1）

胃カメラ・バリウム・超音波・心電図など、さまざまな検査に応じた表現です。

胃内視鏡検査

＊endoscope「内視鏡」。

□喉に麻酔をかけます。
This medicine will **anesthetize/numb** your throat.
＊anesthetize 発音 アネステタァイズ「麻酔をかける、麻痺させる」。
＊numb 発音 ナム「麻痺させる」。

□しばらくの間、この薬を飲み込まないで口に入れておいてください。
Don't **swallow** this medicine, but try to hold it in the back of your mouth for a while.
＊swallow 発音 スワロウ「ぐっと飲む、飲み込む」。

□合図をしたら飲み込んでください。
When I give you the sign, please swallow.

□胃の動きを弱める筋肉注射をしてから検査をします。
We will give you an **intramuscular injection** to help slow stomach movements.
＊intramuscular injection 発音 イントラマスキュラ インジェクション「筋肉注射」。

□カメラを入れていきます。
I will insert the scope now.

□ゆっくり呼吸して、全身を楽にしてください。
Breathe slowly and relax your whole body.

□喉のしびれが取れるまで、1時間は飲んだり食べたりしないでください。

Your throat will be **numb** for a while, so please don't eat or drink anything for at least an hour.

＊numb 発音ナム「麻痺した、無感覚になった」。

胃バリウム検査

□これはガスを出して胃を膨らませるための炭酸です。

This is carbon dioxide which will create gas to **inflate** your stomach.

＊inflate 発音インフレイトゥ「膨らませる」。

□ゲップをしないでください。

Please try not to burp.

□ひと口だけ口に含んで、まだ飲み込まないでください。

Take a mouthful of **barium** and keep it in your mouth.

＊barium 発音ベリアム「バリウム」。

□検査台が動き始めます。

The examination table will start to move.

□頭が下がりますので、手すりをしっかりと握っていてください。

Please hold the handrail firmly as your head goes down.

□残りのバリウムを飲み干してください。

Finish the rest of the barium.

□ハンドルをしっかりつかんでください。

Hold on firmly to the handles.

□右回りでぐるっと回って、仰向け(うつ伏せ)になってください。

Rotate on your right side, so you are lying <u>on your back</u> (<u>on your stomach</u>).

□ゲップをしても大丈夫です。

It is alright to burp [now].

□この下剤を飲んでください。

Take this laxative.

＊laxative 発音 **ラ**クサティヴ「下剤、通じ薬、緩下剤」。

□しばらくの間、白っぽい便があるかもしれませんが、心配いりませんよ。

You may have whitish stools for a while, but you don't need to worry.

＊whitish 発音 フ**ウィ**ティシュ「やや白い、白っぽい」。

超音波検査

□仰向けに寝て、おなかを出してください。

Please lie on your back and show me your stomach area/abdomen.

＊abdomen 発音 **ア**ブダマン【医】「腹部、腹」。

□下着を少し下げましょう。

Excuse me, but I need to lower your underwear a little.

□ジェルを付けて検査をおこないます。

I will start the examination after putting some gel on you.

□ジェルの成分はほぼ水と同じです。心配いりません。

The gel is mostly the same as water. There is nothing to worry about.

□ジェルは少し冷たいかもしれません。

The gel may feel slightly cold.

□機械(プローブ)を押し当てて検査します。

I will press with this probe to perform the examination.

□おなかに力が入らないようにしてください。

Try to relax and don't tense up your stomach.

□首を斜め右(左)に向けてください。

Turn your neck diagonally the right (left).

□この紙／タオルでジェルを拭き取ってください。

Please wipe the gel off with this paper/towel.

＊wipe off [発音]ワイプ オフ「拭く、拭き取る」。

□心エコーをおこないましょう。

We will perform an echocardiogram.

＊echocardiogram [発音]エコウカーディオグラム「心エコー図」。

□左向きに寝てください

Please lie on your left side.

□姿勢がつらかったら教えてください。

Please let me know if it is hard to stay in position.

□暖かいタオルでおなかを拭きます。

I'm going to clean your stomach with a warm towel.

心電図

□心電図をとりましょう。

We need to do an electrocardiogram/ECG/EKG.

＊electrocardiogram [発音]イレクトロカーディオグラム「心電図」。…【略】ECG(ヨーロッパ)、EKG(アメリカ)。

□袖をまくって、上の服を上げ、靴下を下げてください。

Please roll up your sleeves, lift up your top, and lower your socks.

□靴下(ストッキング)を脱いでください。

Please take off your socks (stockings).

□あなたの胸、腕と足首に電極を置きますね。

I am going to place these electrodes on your chest, arms and ankles.

＊electrode [発音]イレクトロウド「電極」。
＊ankle [発音]アンコウ「足首」。

☐ 胸の動悸や痛みはありませんか？
Do you have any chest pain or **palpitations**?
＊palpitation 発音 パルピテイション「動悸」。

☐ 普段、めまいを感じることはありますか？
Do you sometimes feel dizzy?

ホルター心電図

＊holter ECG「ホルター心電図」。

☐ 今から24時間、心電図を記録する装置を着けます。
I will attach a device that will record your EKG for a continuous 24 hours.

☐ 明日、機械を外しにこの時間帯に病院に来ることはできますか？
Can you come back here at this time tomorrow so that we can take off the device?

☐ 10時30分から記録を開始しました。
The recording started from 10:30.

☐ これから24時間記録を続けます。
The recording will continue for 24 hours.

☐ 記録中、このチェックシートにあなたの行動を書いてください。
Please write down your activity on this check sheet during this recording.

☐ 行動した項目にチェックし、行動の開始時間を記入してください。
Please check the activities that you have done and fill in the starting time.

☐ もし、症状があれば、症状の当てはまるものにチェックしてください。
If you feel any symptoms, please note them on the check sheet.

携帯型心電図

＊portable ECG/EKG「携帯型心電図」。

☐ 携帯型心電計の使い方をご説明します。
I will explain how to use the portable EKG.

□症状があった際に、装置に指を置き、左脇腹に装置をじかに当てます。

If you feel any symptoms, place your finger on the device and put it directly on the left abdomen.

□そのままピピと音がするまで30秒ほど当て続けます。

Please keep pressing for about 30 seconds until the device makes a beeping sound.

□2週間後の9月17日14時に機械を返却しにきてください。

Please come back after two weeks, on September 17 at 2 p.m., to return the device.

トレッドミル

＊treadmill test「トレッドミル」。

□こちらのトレッドミルの上を歩いてください。

Please walk on this treadmill.

□3分おきにスピードと傾斜が上がります。

The speed and **incline** will increase every three minutes.

＊incline [発音]インクラァイン「傾き、傾斜」。

Part ❷ 検査の際に

その他の検査で 2
Other Tests (2)

脳波・肺活量・聴力など各種の検査で使われる表現です。

脳　波

*electroencephalography「脳波検査」。

□準備に 20 分、記録に 40 分、計 1 時間かかる検査です。
This examination will take one hour in total; 20 minutes for preparation and 40 minutes for recording.

□電極を装着します。ここに座ってください。
I will attach these electrodes to your head. Please sit down here.

□脳の活動を記録する検査です。
We will record your brain activity.

□目をつぶって、安静にしてください。寝ないようにしてください。
Please close your eyes and relax. Please try not to fall asleep.

□電極を取り外しますね。
Let me remove the electrodes.

□光反応の検査をします。
The next examination is to check your **reaction** to light.

*reaction 発音 リ**ア**クション「反応」。

□ライトが光ってまぶしくなるので、目は閉じていてください。
The light will be bright, so please do not open your eyes.

□次に深呼吸の検査をします。

The next examination will check your respiration.

□3分間、このリズムに合わせて息を深く吸ったり吐いたりしてください。

Please inhale and exhale to this rhythm for three minutes.

□頭に付けたペーストをタオルで拭きます。

I will wipe the paste from your head with a towel.

□ペーストは無害ですが、家に帰ったら早めに洗髪することをお勧めします。

The paste is **harmless**, but I recommend that you take a shower after you go home.

＊harmless 発音 ハームレス「無害」。

NCV

＊nerve conduction velocity; NCV「神経伝導速度」。

□電気刺激を使って神経の状態を調べる検査です。

I am going to measure the health of your nerves using electrical stimulation.

□しびれや痛みがあるのはどちら側ですか？

On which side do you feel **numbness** or pain?

＊numbness 発音 ナムネス「しびれ」。

□この動きをまねしてください。

Please imitate this movement.

□電気の刺激が出ます。

The electric stimulation will start.

肺活量

*vital capacity; VC「肺活量」。

□今から肺容量の検査をします。
I will check your lung **capacity**.
*capacity 〔発音〕カパァスィティ「容量、収容能力」。

□このマウスピースをくわえてください。
Please hold this mouthpiece in your mouth.

□最初は普段どおりの呼吸をしてください。
Please breathe normally at first.

□次に最大まで／吐けなくなるまで息を吐いてください。
Next, please **exhale** as hard as you can.
*exhale 〔発音〕エクセィオ「息を吐き出す」。

□その後、最大まで／吸えなくなるまで息を吸ってください。
After that, **inhale** as deeply as you can.
*inhale 〔発音〕インヘィオ「吸い込む」。

□再び最大まで息を吐いてください。
Exhale all the air from your lungs once again.

努力性肺活量

*forced vital capacity; FVC「努力性肺活量」。

□次は呼吸の勢いを検査します。
The next examination inspects the force of your breath.

□大きく息を吸って、その後、一気に勢いよく吐いてください。
Please take a deep breath, and then exhale as forcefully as you can.

□ロウソクの火を吹き消すようなイメージです。
Please imagine **blowing out** a candle.
*blow out 〔発音〕ブロウ アゥ「吹き消す」

□声を出すとうまく検査出ません。
The results will be affected if you speak.

機能的残気量

＊functional residual capacity；FRC「機能的残気量」。

□マウスピースをくわえたまま、3分から5分、普段どおりの呼吸を続けてください。

Please hold this mouthpiece in your mouth, and continue breathing normally for three to five minutes.

□唇をしっかり閉じておいてください。

Please close your lips tightly.

□最後に1回大きい呼吸をおこないますので、指示に従ってください。

Please follow my instructions, as you will be asked to breathe deeply at the end.

一酸化炭素肺拡散能

＊diffusing capacity of CO；DLCO「一酸化炭素肺拡散能」。

□肺の細胞がどれだけ酸素を体内に取り込めるかを調べる検査をします。

This examination will **investigate** how much oxygen the cells in the lung can take into the body.

＊investigate [発音]インヴェスティゲイトゥ「調査する」。

□一気に最大まで息を吸ってから10秒止めます。

Please inhale as deeply as you can and hold your breath for 10 seconds.

□一気に最後まで吐き切ってください。

Please exhale completely.

聴力検査

＊audiometry「聴力検査」。

□聴力検査を受けて頂きます。

You will **undergo** a hearing test.

＊undergo [発音]アンダゴウ「(手術や検査などを)受ける」。

□ヘッドフォンをつけて検査をおこないます。

Headphones are used for the test.

□左右片方ずつおこないます。
  Each side will be tested separately.

□小さくても音が聞こえたら、ボタンを押し続けてください。
  Please push the button when you can hear any sound, even if it is very faint.

□では、右(左)から始めます。
  We will begin on the right (left).

□次は耳の後ろに硬い装置を当てます。
  Next, a hard device will be placed behind your ear.

□右(左)から検査音が聞こえます。
  You will hear test sounds from the right (left) side.

□左(反対側)から聞こえる音は雑音です。
  Any sounds that you hear on <u>the left side</u> (<u>the other side</u>) are unrelated noise.

ABI

*ankle brachial pressure index：ABI「足関節上腕血圧比」。

□両腕と両足で同時に血圧を測定します。
  I will measure the blood pressure in both arms and legs at the same time.

□動脈硬化を調べる検査です。
  This examination checks for **hardening of the arteries**.

  *hardening of the arteries「動脈硬化」… 【医】arteriosclerosis [発音]アーテェリオスコレロウスィス「動脈硬化」。

□次は足の親指で血圧を測定します。
  Next, I will measure the blood pressure in your big toe.

Part **3**

各科で

リハビリテーション科で	68
眼科で	71
歯科口腔外科で	75
腎センター・透析室で	77
栄養科で	82
医療社会事業科で	88
こども医療支援室で	92

Part ③ 各科で

リハビリテーション科で
At Rehabilitation

言葉をかけながら、リハビリテーションを進めてください。

開 始

□医師からリハビリを始めてほしいと依頼がありました。今日から開始できますか？

Your doctor has asked me to start your rehabilitation. Do you mind starting today?

* mind「嫌だと思う」。…Do you mind〜？「〜はお嫌ですか？」
✐嫌でない場合（承諾できる場合）の答え方は No. / Of course not. / No, not at all. など。

評 価

□体調はいかがですか？

How are you feeling today?

□死ぬほど痛いのを10点、まったく痛みがないのを0点としたら、今の痛みは何点ですか？

On a scale from zero to 10, 10 being the highest, how much pain do you have now?

* scale ［発音］スケィオ「物差し、段階」。

□どういう動きをしたときに痛みますか？

What kind of movement worsens the pain?

* worsen ［発音］ワァスン「悪化させる」。

□どこが痛みますか？

Where do you have pain?

□動いたときに痛みは増強しますか？

When you move, does the pain increase?

聴 取

□入院前はどのくらい運動をしていましたか？
How often did you exercise before you were hospitalized.

□入院前は外を歩けましたか？
Were you able to walk outdoors before you were hospitalized?

□入院前は一日どのように過していましたか？
Please tell me how you spent your days before you were hospitalized.

□家は一戸建てですか、マンションですか？
Do you live in a house or an apartment?

□病室内でうまく動けずに困っていることはありますか？
Do you have any problems moving around in your hospital room?

□トイレはおひとりで行けますか？
Can you use the toilet by yourself?

注 意

□右足に体重をかけてはいけません。
Do not put weight on your right leg.

□痛みのない範囲で、ご自身で運動レベルを加減してください。
Please adjust your exercise to your own comfort level.

□息を吸ったときにおなかを膨らましてください。
When you breathe in, please push out your stomach.

□吐くときにおなかをへこませてください。
When you breathe out, please pull in your stomach.

確 認

□これはできますか？
Can you do this?

□担当の田中が休みなので、今日は私が代わりに担当します。
Mr. Tanaka is off today, so I will take over him.

ボキャブラリー	*Vocabulary*
走るような痛み	shooting pain
鈍い痛み	dull pain
鋭い痛み	sharp pain

Part ③ 各科で

眼科で
At Ophthalmology

機器の名称も覚えて，検査時に役立ててください。

オートレフラクトメーター・ケラトメーター

* autorefractometer [発音]オートゥリフラク**ト**ーミタァ「オートレフラクトメーター、自動屈折計」。
* keratometer [発音]ケラ**ト**ーミタァ「ケラトメーター、角膜測定器」。

□近視や遠視の程度を測ります。

This exam estimates the **refractive** error of your eyes, namely, how near or far sighted you are.

* refractive [発音]リフ**レ**ァクティヴ「屈折の」。

□大きくまぶたを開けて、まっすぐ見てください。

Keep your eyes wide open and look straight ahead.

眼圧検査

* intraocular pressure test「眼圧検査」。

□眼圧を測ります。

This exam measures the **intraocular** pressure/pressure inside your eye.

* intraocular …眼内の [発音]イントラ**オ**キュラ

□機械から風が出ますが、痛くありません。

Air will be blown onto the surface of your eyes, but it will not hurt or damage them.

□まばたきをせずに、しっかりまぶたを開いていてください。

Do not **blink**, and try to keep your eyes wide open.

* blink [発音]ブ**リ**ンク「まばたきする」。

視力検査

*visual acuity test「視力検査」。

□視力を測ります。

This exam tests your visual **acuity**.

*acuity 発音 アキュゥイティ「感覚の鋭敏さ」。

□眼鏡が合っていません。

Your glasses do not fit.

□あなたの目に合う眼鏡処方のために、検査をします。

This exam helps to determine the correct prescription for your glasses.

□目の奥の状態を詳しく調べるために、瞳を開く目薬を差します。

To see the back of your eyes, we are going to use eye drops to **dilate** them.

*dilate 発音 ダァイレイトゥ「体の一部などを広げる」。

□この目薬により瞳が大きく開きます。

The eye drops will dilate your **pupils** and may cause a lot of **glare**.

*pupil 発音 ピューポゥ「ひとみ、瞳孔」。
*glare 発音 グレェア「まぶしい光」。

□半日くらいまぶしくてよく見えなくなりますが元に戻ります。

You will have trouble focusing for about half a day, but your eyes will return to normal.

□目の内部検査/眼底検査で写真を撮ります。

We will examine the inside of your eye/your ocular fundus, and take photographs.

*ocular fundus 発音 オキュラー ファンダス【医】「眼底」。

□視野を測ります。

We will measure the field of your vision.

□どのくらいの範囲がどの程度見えるかを調べますので、目を動かさないでください。

Do not move your eyes while we test your range of vision and how well you can see.

□光が見えるたびにこのボタンを押してください。約3分かかります。

Each time you see the light, please push this button. The test will take about three minutes.

□目に光を当てて網膜の機能を調べる検査です。

This test will record the electrical responses of your **retina** to stimulation by light.

*retina 発音 レティナ「網膜」。

眼球運動

*ocular motility test 発音 オキュラー モティリティ テスト「眼球運動検査」。

□目の動き方の検査をします。

This exam tests the movement of your eyes.

ボキャブラリー　　　　　Vocabulary

近視	myopia/nearsightedness
遠視	hyperopia/farsightedness
乱視	astigmatism
老視	presbyopia
眼精疲労	asthenopia/eye strain
眼底	ocular fundus
眼底カメラ	ocular fundus photography
網膜断層撮影	optical coherence tomography
視野検査	visual field test
眼球運動	ocular motility test
斜視	strabismus
眼筋麻痺	ophthalmoplegia/paralysis of the extraocular muscles
飛蚊症［症候群］	floaters [syndrome]
ドライアイ［症候群］	dry eye [syndrome]
白内障	cataract

緑内障	glaucoma
加齢黄斑変性症	age-related macular degeneration; AMD
糖尿病性網膜症	diabetic retinopathy
網膜剝離	retinal detachment
流行目、結膜炎	conjunctivitis
眼瞼下垂	ptosis
眼瞼炎	blepharitis
ものもらい、麦粒腫	sty
角膜潰瘍	corneal ulcer
虹彩炎	iritis
弱視	amblyopia
充血した	red/bloodshot
目やに	eye mucus
痒み、痒い	itch/itchy

Part 3 各科で

歯科口腔外科で
At Oral Surgery

簡単な動作を説明する表現を集めました。

診察前

□エプロンを掛けさせてください。
I will put an apron on you.

□お口をすすいでください。
Please **rinse** your mouth.
＊rinse 発音 リンス 「すすぐ」。

□眼鏡を外してください。
Please take off your glasses.

□イスを倒しますね。
Now I'll **recline** the chair.
＊recline 発音 リクラァイン 「座席を後ろに倒す」。

診察中

□お口を開けてください。
Please open your mouth.

□もう少し大きくお願いします。
A little wider please.

□痛みなどありましたら教えてください。
Let me know if it hurts.

□緊張しないで、大きく深呼吸してください。
Just relax and take a deep breath.

□風を当てますよ。
I will blow some air into your mouth.

☐水で洗います。
　I will wash it with water.

☐20分ガーゼを噛んでいてください。
　Please bite down on the **gauze** for 20 minutes.
　＊gauze 発音 ゴーズ「ガーゼ」。

印　象

☐歯の型をとりますね。
　I will make a mold of your teeth.

☐まず、このトレーを試してみましょう。
　First, we will use this tray.

☐では、トレーを外します。
　Now, I will remove the tray.

診察後

☐エプロンを外します。
　I will take your apron off.

☐30分は飲んだり食べたりしてはだめですよ。
　You shouldn't drink or eat anything for 30 minutes.

Part 3 各科で

腎センター・透析室で
At the Kidney Center/Dialysis Room

患者さんの体調や状態を聞くフレーズを，多数入れました。

準 備

□体重を量りましょう。体重計に乗ってください。
Let's measure your weight. Please stand on this scale.

開始前

□前回の治療記録を見せてください。
May I have a look at your last **dialysis** treatment record?
 * dialysis [発音]ダイア リスィス「透析」。

□前回からの体重増加は 2 kg です。
You have gained 2 kilograms since the last time.

□どのくらい除水しましょうか？
How much water should we remove?

□普段はどのくらい除水しているのですか？
How much water do you usually remove?

□透析時間は 4 時間でよろしいですか？
Is your dialysis time four hours?

バスキュラーアクセス

□シャントはどちらですか？
Where is your shunt?

□カテーテルはどこですか？
Where is your vascular **catheter**?
 * catheter [発音]キャ ーセタァ「カテーテル」。

□シャントの確認をさせてください。
May I check your shunt?

穿　刺

□痛いですか？
Does it hurt?

□針を抜きますね。
I'm going to remove this needle.

□ここを押さえてください。
Please apply pressure here.

□もう１本針を刺します。
We will insert a needle one more time.

□ほかのスタッフに交代しますね。
I will switch to another staff member.

カテーテル

□カテーテルを操作します。
I'm going to access your catheter.

□接続部を消毒します。
Let me **sterilize** the connection.
＊sterilize 発音スターララァイズ「消毒する」。

透析中

□飲食されますか？
Are you planning to eat or drink anything during dialysis?

□重さを量らせてください。
Let me weigh this.

血圧低下時

□頭を下げますね。
I'm going to **recline** the headrest.
＊recline ［発音］リク**ラ**ァイン「横たえる、もたせかける」。

□足を上げます。
I'm going to **elevate** your feet.
＊elevate ［発音］**エ**レヴェイトゥ「持ち上げる」。

筋痙攣

□どこが攣っていますか？
Where is the **cramp**?
＊cramp ［発音］ク**ラ**ンプ「痙攣」。

□マッサージしましょうか？
Would you like me to massage it?

□足を温めましょうか？
Would you like me to warm your legs?

終了時

□終わりの時間です。
It's time to end the session.

□除水量は 2000 mL です。
A total amount of 2000 milliliters of water was removed.

□いつもはどのように止血していますか？
How do you usually stop the bleeding?

透析後

□書類を準備するので、ここでお待ちください。
I will prepare the paperwork. Please wait here.

在宅酸素療法

□在宅酸素療法に用いる機器の使用法と管理法を説明いたします。

We will explain how to use and maintain the medical devices for Home Oxygen Therapy.

□カニューラは鼻の中／鼻腔に装着します。

A cannula will be inserted into your nose/**nasal cavity**.

＊nasal cavity 発音 **ネ**イザル **キャ**ヴィティ【医】「鼻腔」。

□鼻から酸素を吸って口から息を吐き出しましょう。

Inhale oxygen through your nose and exhale from your mouth.

□酸素吸入中は、火気から2m以上離れてください。

When you are on oxygen, avoid getting within 2 meters of open flames.

□停電が起こると機械は動かなくなります。

During a power **outage**, the unit will stop functioning.

＊outage 発音 **ア**ゥティジ「停電」。

□慌てずに酸素ボンベに切り替えてください。

Do not panic and switch to your oxygen tank.

酸素ボンベ

□残量は圧メーターで確認します。

The volume of oxygen can be checked with a pressure meter.

□針が赤いところを指したら交換してください。

Change the tank when the needle is in the red zone.

困ったとき

□体調の変化については、主治医に相談してください。

Tell your doctor if you experience a change in your health.

□装置に異常が発生した場合は、機器を取り扱っている業者へ連絡してください。

If there is anything wrong with the unit, please contact the **vendor**.

＊vendor ［発音］**ヴェ**ンダァ「供給メーカー、業者」。

□機器の管理方法などで、不明な点は CE 室へ連絡してください。

If you have any questions about maintenance of the unit, contact our <u>Clinical Engineering</u>/<u>CE</u> room.

ボキャブラリー *Vocabulary*

透析技士	hemodialysis technician
機械導入までの流れ	installation work flow
付属品の取扱説明	instruction on accessories
機器の搬入	device installation
設置型機器・付属品の納入	deliver the device and accessories
注 意	attention

Part 3 各科で

栄養科で
At Nutrition

栄養指導の際の問いかけ表現です。

習 慣

□どうぞお入りください。
Please come in.

□どうぞお掛けください。
Please have a seat.

□私は当院栄養士の聖路加花子です。
My name is Hanako Seiruka. I am a **nutritionist** at this hospital.
＊nutritionist 発音 ニュートリショニストゥ「栄養士」。

□お名前と生年月日を教えてください。
Can you tell me your name and date of birth?

□今回がはじめての栄養指導ですか？
Is this your first time to receive nutritional guidance?

□その後いかがでしたか？
How have you been since then?

□1日のお食事内容を教えてください。
Please tell me about the content of your meals on a usual day.

□1日の砂糖の摂取量はどのくらいですか？
About how much sugar do you consume per day?

□食事は何時にとりますか？
What time do you have your meals?

□朝食(昼食／夕食)は何時にとりますか？
What time do you have breakfast (lunch/dinner)?

□外食は多いですか？
Do you often eat out?

□外食は週何回ですか？
How many times do you eat out per week?

□味の濃い(塩辛い／甘い)ものが好きですか？
Do you like rich (**salty**/sweet) foods?
* salty 発音 ソゥティ「塩気のある」。

□これまで食事制限をしたことはありますか？
Have you ever tried to diet?

□あなたのエネルギー量(塩分量／水分量)は1日1800 kcal(6 g/1500 mL)です。
The amount of required energy (**sodium**/liquid) is 1800 kilocalories (6 grams/1500 milliliters) per day.
* sodium 発音 ソーディアム「ナトリウム」。

□食事バランスが偏っています。
Your diet is not **well balanced**.
* well balanced 発音 ウェル バランスドゥ「バランスの取れた」。

□たんぱく質の摂取が少ないです。
Your **intake** of protein is less than the average man (woman/person).
* intake 発音 インテイク「摂取量」。

□カフェインの摂取が多いです。
You are taking too much caffeine.

□アレルギーはありますか？
Do you have any allergies?

□体重測定はしていますか？
Do you check your weight regularly?

□運動習慣はありますか?
Do you exercise regularly?

□麺のときは汁も飲みますか?
Do you drink the soup when you eat noodles?

□どのくらい汁を飲みますか?
How much of the soup do you drink?

□どのくらい汁を残しますか?
How much of the soup do you leave?

果　物

□1日にどれくらいの果物を食べますか?
How much fruit do you eat per day?

□果物は1日の適量を守りましょう。
Please limit your fruit intake to the appropriate amount.

菓子類

□間食をしますか?
Do you eat between meals?

□間食で何を食べますか
What do you eat for snacks?

□甘いもので何が好きですか?
What kind of sweets do you like?

飲　料

□どんなものを飲んでいますか?
What kind of beverages do you usually drink?

□お酒を飲む機会はどの程度ですか?
How often do you drink alcohol?

□休肝日が必要です。
I think your liver needs some rest.

□水分摂取量が多い（少ない）ようです。

Your total amount of liquid intake per day is more (less) than the average [person/man/woman].

たんぱく質

□卵は1日何個食べますか？

How many eggs do you eat per day?

□魚と肉、どちらが多いですか？

Which do you eat more often, fish or meat?

□牛乳（ヨーグルト）などの乳製品はとっていますか？

Do you eat **dairy products**, such as milk (**yogurt**) ?

＊dairy product 発音 デァリィ プラダクトゥ「乳製品」。

＊yogurt 発音 ヨーガァトゥ「ヨーグルト」。

脂 質

□脂っこいものは好きですか？

Do you like **fatty** food?

＊fatty 発音 ファァティ「脂っこい」。

□どんな種類の油をとっていますか？

What kind of oil do you use?

□炒め物、揚げ物は多いほうですか？

Do you eat a lot of **stir-fried** or fried food?

＊stir-fry 発音 スﾄァーフライ「強火で炒める」。

□パンにバターかマーガリンを塗りますか？

Do you use butter or margarine on toast?

□油脂の量を減らしましょう。

Try to reduce the amount of oils and fats.

ビタミン・ミネラル

□1日にどのくらい野菜を食べていますか？

How much vegetables do you eat a day?

□野菜をきちんととっていますね(少ないですね)。

Your daily intake of vegetables is appropriate for (less than) the average [person/man/woman].

□野菜をもっとたくさんとりましょう。

You should eat more vegetables.

□毎日野菜を食べるようにしましょう。

I recommend that you eat vegetables every day.

□では今日はこれで終わりにします。

That's all for today.

□また次回お会いするのを楽しみにしています。

I'm looking forward to seeing you again.

ボキャブラリー　*Vocabulary*

栄養	nutrition
栄養素	nutrient
栄養価の高い	nutritious
栄養士	nutritionist
管理(登録)栄養士	registered dietitian
食事	diet
食事療法する	go on a diet
過剰摂取	overconsumption/over-eating
摂取不足	inadequate intake
エネルギー	energy
カロリー	calorie
カロリー摂取量	calorie intake
たんぱく質	protein
脂質	fat
糖質	sugar content/glucose
炭水化物	carbohydrate
ビタミン	vitamins
ビタミンC	vitamin C

β-カロテン	beta carotene
葉酸	folic acid
ミネラル	minerals
カリウム	potassium
カルシウム	calcium
リン	phosphorus
鉄	iron
亜鉛	zinc
食物繊維	fiber
水分	water/liquids

Part 3 各科で

医療社会事業科で
At the Social Service Department

医療保険、福祉サービス等の案内や転院相談の際に使われる表現です。

案 内

☐ あなたとご家族の生活を支援します。
We provide support for a healthy lifestyle for you and your family.

☐ ご心配などがありましたらお気軽にお越しください。
If you have any questions or concerns, please feel free to visit the office.

経済問題

☐ 医療費の支払いのことで不安をお持ちですか？
Are you concerned about your ability to pay for your medical expenses?

☐ 日本の公的医療保険に入っていますか？
Do you have Japanese public health insurance?

☐ 公的保険に加入している方は、医療費助成を受けることができます。
Patients who have public insurance are **eligible** for medical subsidy.
＊eligible [発音]エリジボゥ「適格の、資格のある」。

☐ 区役所に相談にいってください。
Please visit the consultation counter of your ward office for advice.

☐ 区の担当窓口の電話番号をお伝えします。
We will give you the phone number for the consultation counter of your ward office.

□生活費のことで不安をおもちですか？
Are you concerned about your living expenses?

□生活保護は、生活が苦しくなったときに必要な援助をおこなうものです。
Social aid may be available for those who have difficulty making a living.

転院・在宅相談

□どのようなケアが必要ですか？
What kind of care is needed?

□お知りになりたいのは、他の病院への転院についてですか？
Do you need information about transfer to another hospital?

ボキャブラリー　　Vocabulary

受診	consultation
入院生活	life while an inpatient
退院後の生活	life after discharge
経済的問題	financial problems
そのほかの心配事	other concerns
医療費助成	public medical support
介護保険	long-term care insurance
労働災害補償保険	workers accident insurance
入院費	hospital bill
入院手続き	the procedure for admission
面会時間	visiting hours
差額ベッド代	room charge
退院手続き	discharge procedure
高額療養費	high cost medical care support
乳幼児医療費助成	medical care support for infants and children
ひとり親家庭の医療費助成	medical care support for single parents

③各科で 医療社会事業科で

心身障害者医療費助成	medical support for people with physical and mental disabilities
難病医療費助成	medical support for patients with intractable disease
結核医療費助成	medical support for tuberculosis
最寄りの保健所	the nearest public health care center
公費負担の申請	apply for public assistance for your medical expenses
生活保護	public assistance
退院後の転出先	after discharge
在宅介護	home care
リハビリ病院	rehabilitation hospital
アルコール依存症の病院	alcoholic dependency hospital
長期療養型病院／施設	long-term medical care hospital/facility
精神科病院	psychiatry hospital
緩和ケア	palliative care
特別養護老人ホーム	special nursing home for elderly people
介護老人保健施設	long-term health care facility for elderly people
地域包括支援センター	regional comprehensive support center
医療ケア	health care
薬の管理	medication management
痰の吸引	suctioning
傷の手当	wound treatment
身体面でのケア	personal care
入浴	bathing
食事	eating
着替え	dressing
排せつ	toileting
ホームヘルプ	home care service

訪問入浴	bathing service
通所介護	day-care service
介護タクシー	care taxi
配食サービス	meal service
社会福祉協議会	the social welfare council

③各科で 医療社会事業科で

Part ③ 各科で

こども医療支援室で
At Pediatric Psychology

ちょっとしたひと言で、小さなお子さんの不安も和らぎます。

はじめまして

□私は保育士です。
I am a nursery school teacher.

□一緒に遊んだり、お話ししたりする人だよ。
I'm here to play and talk with you.

□好きな遊びは何かな？
What games do you like to play?

□きょうだいはいる？
Do you have any brothers or sisters?

□どうして病院にいるの？
Why are you in the hospital?

□プレイルームにいることが多いけど、きみのお部屋で一緒に遊んだりもできるよ。
I am usually in the playroom, but I can also come to your room to play.

□お部屋にオモチャの貸し出しができるよ。
You can borrow toys to take to your room.

□今日は音楽療法の日だね。11時に始まるよ。
Today is music therapy day. It will start at eleven.

プレイルームにて

□床の上では靴を履いてね。
Please wear your shoes when walking around on the floor.

□子どものトイレはここだよ。

This is the toilet for kids.

□おしっこは採れた？

Did you pee in the cup?

□オモチャや本の貸し出しができるよ。借りるときはここに記入してね。

You can borrow toys and books. Please fill out this paper when you borrow them.

□使ったオモチャ（本）はスタッフに直接渡して返すか、このカゴに入れてね。

Please return the toys (books) to the staff or place them in this basket.

□午後1時から3時はプレイルームが閉まってしまうけど、オモチャや本の貸し出しは自由にできるよ。

The playroom is closed from 1 p.m. to 3 p.m., but you can borrow/take some toys and books to your room.

□ハサミを使うときは、扱いに気を付けてね。

Please be **extra** careful when you use scissors.

＊extra 発音 エクストラ「特別の」。

□好きな遊びを選んでね。どれにする？

You can choose any toy or game you like. Which one would you like?

治療の前後

□これから起こることをお話しするね。

I am going to explain what's going to happen next.

□マスクから特別な空気が出てきて、手術は眠っている間に終わるよ。

Special air will come from the mask, and you'll sleep right through the operation.

☐ゆっくり息を吸って、吐いてね。

Breathe in and out slowly.

* breathe [発音]ブリーズ[動]「呼吸する、息をする」。…[名]は、breath [発音]ブレス「呼吸、息」。

☐泣いたり大きな声を出したりしても大丈夫。

It's ok to yell or cry out loud.

☐もし気分が悪くなったら教えてね。

Please tell me if you feel sick.

☐じっとしているのはきみの仕事だよ。

Your job is to stay very still.

☐処置の間、DVDを見ることができるよ。どれがいいかな？

You can watch a DVD during the treatment. Which one would you like?

☐上手にできているよ。

You are doing very well. / You are doing great!

☐終わったね。できたね！

It's done. You did it! / All over! Good job!

☐楽しい、うれしい、悲しい、悔しい、うらやましい、ドキドキする……、いろいろな気持ちがあるよね。

Fun, happy, sad, frustrated, jealous, excited..., there are many kinds of feelings.

☐そう思うのは自然なこと。

It is natural to have those kinds of feelings.

☐誰のせいでもないんだよ。

It's nobody's fault.

☐何か知りたいことがある？

Is there anything you would like to know?

☐大切なことだから、お父さん(お母さん／お医者さん)に一緒に聞いてみようか。

That's a very important thing. Let's ask your dad (mom/doctor) about it.

☐ お父さん(お母さん)に伝えたいことはあるかな？
Is there anything you would like to tell your dad (mom)?

保護者の方に

☐ 親が入院または通院中の子どものサポートをしています。
We support children whose parents are hospitalized or are getting outpatient treatment.

☐ お子さんに病気のことをどのようにお話ししていますか？
What have you told your child about your illness?

☐ お子さんの反応は？
How did he (she) react?

☐ 何が一番心配ですか？
What are you most concerned about?

付 録

病院の基本単語・用語 98
災害発生時 104

付録

病院の基本単語・用語
Basic words & terms used in the hospital

院内施設や部署名、身体の部位と症状に関する単語集です。

施設名

総合案内	General Information	ジェネロゥ インフォメイシュン
再来受付	Follow-up	ファロアップ
予約センター	Appointment Services Desk	アポイントゥメントゥ サァヴィスィズ デスク
新患受付	First Visit	ファーストゥ ヴィジットゥ
自動精算機	Automated Payment Machines	オートメイティドゥ ペイメントゥ マシーンズ
外来会計	Outpatient Cashier	アウトペイシェン キャシア
入院受付	Admission Counter	アドミシュン カウンタ
入院会計	Inpatient Cashier	インペイシェン キャシアア
文書受付	Documentation Counter	ダーキュメンテイシュン カウンタ
医療連携相談室	Health & Medical Information Service	ヘルサン メディコゥ インフォメイシュン サァヴィス
病床管理	Room Assignment	ルマ サイメントゥ
画廊	Art Gallery	アート ギャァラリ
薬局	Pharmacy	ファーマスィ
防災センター	Disaster Control Center	ディザースタ コントロォル センタァ
ご意見・ご要望窓口	Patient Feedback Desk	ペイシェン フィードゥバク デスク
手術室	Operating Room	オペレイティン ルゥム
専門外来 A	Specialty Services A	スペシャゥティ サァヴィスィズ エィ
専門外来 B	Specialty Services B	スペシャゥティ サァヴィスィズ ビィ

生理機能検査室	Physiological Laboratory	フィズィオ**ロー**ジコゥ **ラ**ァバトーリ
採血・採尿室	Clinical Laboratory	クリニコゥ **ラ**ァバトーリ
トイスラー記念ホール	Teusler Memorial Hall	**ト**イスラァ メ**モー**リオゥ **ホー**ル
患者図書館	Patients' Library	**ペ**イシェンツ **ラ**イブラリ
授乳室	Nursing Room	**ナ**ァスィン **ル**ゥム
核医学(RI)検査室	Nuclear Medicine	ヌク**リー**ァ **メ**ディスン
売店	Gift Shop	**ギ**フトゥ **ショ**ップ
チャペル	Chapel	**チャ**ペル

部署名

部署名の「～科」は，すべて科名の後ろに Department 発音 ディ**パー**トゥメントゥを付ける。

心血管センター	Cardiovascular Center	カーディオ**ヴァ**スキュラ **セ**ンタァ
循環器内科	Cardiology	カーディ**ア**ラジー
心臓血管外科	Cardiovascular Surgery	カーディオ**ヴァ**スキュラ **サ**ァジュリ
脳神経センター	Neurology & Neurosurgery Center	ニュー**ラ**ァラジー エァン ニューロ**サ**ァジュリ **セ**ンタァ
神経内科	Neurology	ニュー**ラ**ァラジー
脳神経外科	Neurosurgery	ニューロ**サ**ァジュリ
神経血管内治療科	Neuroendovascular Therapy	ニューロエンド**ヴァ**スキュラー **テ**ラピィ
小児総合医療センター	Ambulatory Care Center for Children	**ア**ンビュラトリ **ケー**ァ **セ**ンタァ フォー **チ**ゥドゥレン
小児科	Pediatrics	ピディ**ア**トゥイクス
小児外科	Pediatric Surgery	ピディ**ア**トゥイック **サ**ァジュリ
ウェルベビークリニック	Well Baby Clinic	ウェル **ベ**イビィ ク**リ**ニック
消化器センター	Gastroenterology Center	ギャストロエンタ**ロー**ロジー **セ**ンタァ
消化器内科	Gastroenterology	**ギャ**ストロエンタ**ロー**ロジー
消化器一般外科	General Surgery	**ジェ**ネロゥ **サ**ァジュリ

内視鏡内科	Endoscopy	エンドースコピィ
ヘルニアセンター	Hernia Center	ハニア センタァ
ブレストセンター	Breast Center	ブレストゥ センタァ
乳腺外科	Breast Surgery	ブレストゥ サァジュリ
腫瘍内科	Medical Oncology	メディコゥ オンコーロジー
形成外科	Plastic and Reconstructive Surgery	プラァスティク エァン リィコンストラクティヴ サァジュリ
放射線腫瘍科	Radiation Oncology	レイディエイシュン オンコーロジー
精神腫瘍科	Psycho-Oncology	サイコ オンコーロジー
腎センター	Kidney Center	キッニー センタァ
腎臓内科	Nephrology	ネフローロジー
腎臓クリニック	Chronic Kidney Disease Clinic	クロォニク キッニー ディズィーズ クリニク
リエゾンセンター	Liaison Center	リィゾン センタァ
心療内科	Psychosomatic Internal Medicine	サイコスマァティク インターノゥ メディスン
精神科	Psychiatry	サイカイアチュイー
精神腫瘍科	Psycho Oncology	サイコ オンコーロジー
リウマチ膠原病センター	Immuno-Rheumatology Center	イミュノリューマトーロジー センタァ
アレルギー・膠原病科	Allergy and Rheumatology	アラジー エァン リューマトーロジー
血液腫瘍科	Hemato-Oncology	ヘマトオンコーロジー
血液内科	Hematology	ヘマトーロジー
呼吸器内科	Pulmonary Medicine	パルモナリ メディスン
一般内科	General Internal Medicine	ジェネロゥ インターノゥ メディスン
遺伝診療部	Clinical Genetics	クリニコゥ ジェネェリクス
眼 科	Ophthalmology	オフサルモーロジー
感染症科	Infectious Diseases	インフェクシュス ディズィーズ
緩和ケア科	Palliative Care	パリエティヴ ケーァ
救急部	Emergency Medical Care	イマージェンスィー メディコゥ ケーァ

呼吸器外科	Thoracic Surgery	ソラァスィック サァジュリ
整形外科	Orthopaedic Surgery	オーソピィーディック サァジュリ
耳鼻咽喉科	Otolaryngology	オトラリガーラジー
女性総合診療部	Integrated Women's Health	インテグレイティドゥ ウィミンズ ヘルス
内分泌代謝科	Endocrinology & Metabolism	エンドクリノーロジー エァン メタボリズム
皮膚科	Dermatology	ダマターラジー
(泊まりがけの)人間ドック科	Inpatient Medical Checkup	インペイシュン メディコゥ チェカプ
泌尿器科	Urology	ユーロロジー
病理診断科	Pathology	パトォロジー
放射線科	Radiology	レイディオーロジー
麻酔科	Anesthesiology	アネステズィオーロジー
臨床検査科	Clinical Laboratory	クリニコゥ ラーバトーリ
歯科口腔外科	Oral Surgery	オーロゥ サァジュリ
オンコロジーセンター	Oncology Center	オンコーロジー センタァ
SSD	Social Service Department	ソーショゥ サァヴィス ディパートゥメントゥ
訪問看護ステーション	Home-visit Nursing Station	ホゥムヴィズィッ(トゥ) ナァスィン ステイシュン

身体の部位と症状

BODY PARTS

頭	head	ヘェッドゥ
目	eye	アーィ
鼻	nose	ノゥズ
首	neck	ネェック
耳	ear	イヤ
歯	teeth	ティース
口唇	lips	リィプス
のど	throat	スロートゥ
乳房	breast	ブレストゥ
背中	back	バァック
肩	shoulder	ショウダ
胸	chest	チェストゥ
腕	arm	アーム
肘	elbow	エルボー

(101)

腰	lower back	ロゥワァ バァック
陰 部	genitals	ジャナトーズ
下 肢	leg	レェッグ
膝	knee	ニー
足	foot	フゥットゥ
上腹部	upper abdomen	アパ アブダマン
下腹部	lower abdomen	ロゥワァ アブダマン

症 状

ケガをした	injured	インジャドゥ
体重の減少	weight loss	ウェイ ロゥス
疲労・だるさ	fatigue	ファティーグ
食欲不振	loss of appetite	ロゥス オブ アパタイ
のどの渇き	increased thirst	インクリストゥ サーストゥ
痛 み	pain	ペイン
胸 痛	chest pain	チェスト ペイン
熱	fever	フィーヴァー
寒 気	chills	チゥズ
咳	cough	カフ
痒 み	itch	イッチ
気 絶	loss of consciousness	ロゥス オブ コンシャスネス
物忘れ	memory loss	メモリ ロゥス
めまい	dizziness	ディズィネス
目のかすみ	dimming of vision	ディミン オッヴィジョン
複視(ものが二重に見えること)	double vision	ダボゥ ヴィジョン
のどの痛み	throat pain	スロートゥ ペイン
鼻水・鼻づまり	runny nose or clogged nose	ラニ ノゥズ オーァ クログドゥ ノゥズ
耳鳴り	buzzing/ringing in ear	バズィン／リンギン イン イヤ
腹 痛	abdominal pain	アブダミノゥ ペイン
胸焼け	heartburn	ハートバァン
嘔気・嘔吐	nausea and vomiting	ノーズィア エァン ヴォミティン
お腹の張り	bloated stomach [gas]	ブローティッド スタァマク [ギャス]
血 便	blood in stool	ブラディン ストゥール

頻 尿	frequent urination	フリクエント ユリネィシュン
排尿痛	urination pain	ユリネィシュン ペイン
おりもの	vaginal discharge	ヴァギノゥ ディスチャージ
下 痢	diarrhea	ダイアリィア
便 秘	constipation	コンスティペイシュン
血 尿	bloody urine	ブラディ ユリーン
乏 尿	hypouresis	ハイピュレィスィス
月経異常	menstrual disorder	メンストュロゥ ディソーダァ
不正出血	abnormal bleeding	アブノーモゥ ブリーディン
吐 血	vomiting of blood	ヴォミティン オッブラドゥ
飲み込みづらさ	difficulty in swallowing	ディフィカゥティ イン スワーロイン
腰 痛	low back pain	ロー バァック ペイン
麻 痺	numbness	ナムネス
筋肉痛	muscle pain	マソゥ ペイン
筋力低下	muscle weakness	マソゥ ウィクネス
けいれん	cramp	クランプ
発 疹	skin rash	スキン ラァシ
腫 れ	swelling	スウェリン

付録 病院の基本単語・用語

(103)

付録

災害発生時
At the time of a Disaster

非常時には落ち着いて患者さんを誘導してください。

注意喚起とともにパニックを防ぐ

□火事だ！
Fire!

□危ない！
Look out! / Danger!

□食堂から出火しました。現在消火活動中です。
There is a fire in the cafeteria. Firefighters are putting it out now.

□慌てないで！
Don't **panic**!
*panic [発音]パニック「うろたえる、ろうばいする」。

□机の下に潜ってください。
Crouch under the desk.

□職員の指示に従って、落ち着いて行動してください。
Stay calm and follow the **directions** of our staff.
*direction [発音]ダレクション「指示、命令、指図」。

□当院の建物は耐震構造です。
Our hospital buildings are **quake-resistant** structures.
*quake-resistant [発音]クウェイク レジスタン「耐震性の」。

□倒壊の危険はありません。
There is no danger of **collapse**.
*collapse [発音]コラプス「倒壊、崩壊」。

□お静かに。館内放送を聞きましょう。
Please keep silent, so we can listen to any announcements.

安全確保を促す

□火を使わないでください。懐中電灯を使ってください。
Don't use any **flames**. Please use a flashlight.
＊flame [発音]フ**レ**イム「炎、火災」。

□煙草を吸わないでください。
Please don't smoke.

□ハンカチで口を押さえてください。
Put a handkerchief over your mouth.

□煙を吸わないようにしてください。
Please try not to breathe in any smoke.

□揺れが収まるまで動かないでください。
Please stay here until the shaking has stopped.

□地震は止まりました。落ち着いてください。
The earthquake has stopped. Please stay **calm**.
＊calm [発音]**カ**ーム「落ち着いた、平静な」。

□これから、余震が起きるかもしれません。
There may be aftershocks.

□外は危ないかもしれません。
It may be dangerous outside.

□ドアや窓を開けてください。
Open doors and windows.

□頭の上に気を付けてください。
Pay attention to the area above your head.

□ヘルメットや帽子、座布団などで頭を守ってください。
Please protect your head from injury with a helmet, hat or cushion.

□倒れやすいものに気を付けてください。
Please watch out for things that may collapse.

□まず、ご自身の体を守ってください。
Your first **priority** is to protect yourself.
＊priority [発音]プライ**オ**ラティ「避難、退避」。

□割れたガラスや皿などに気を付けてください。

Please be careful of broken glass and dishes.

□靴やスリッパを履いてください。

Put on shoes or slippers.

避難誘導（帰宅）

□低い姿勢のまま外に出てください。

Exit the building while **crouching** as low to the ground as possible.

＊crouch 発音 ク**ラ**ウチ「かがむ、しゃがむ」。

□気を付けて逃げてください。

Please be careful as you **exit**.

＊exit 発音 **エ**グズィット「立ち去る、退去する」。

□安全を確認してから、外に出てください。

Please exit the building after **making sure** it is safe.

＊make sure「確かめる」。

□避難するときは、走らずに歩いてください。

Do not run, while exiting the building.

□避難する出口を確認してください。

Please be aware of the nearest exit in case you need to escape.

□エレベーターを使わないでください。階段を利用してください。

Don't use the elevators. Please use the stairs.

□余震や停電があると、エレベーターから出られなくなることがあります。

You could be **trapped** in the elevator in the event of an aftershock or power **outage**.

＊trap 発音 ト**ラ**ップ「閉じ込める、追い込む」。
＊outage 発音 **ア**ウティジ「停電」。

□津波に気を付けてください。

Please be **mindful** about the possibility of a tsunami.

＊mindful 〔発音〕**マ**インドゥフォ「(〜に)注意して、心に留めて」。

□川から離れて、高いところに避難してください。

Stay away from the river, and please go to high ground.

□いつも飲んでいる薬をもっていってください。

Please bring your usual medicines with you.

□避難場所はここです。

This is the **evacuation** area.

＊evacuation 〔発音〕イヴァキュ**エ**イション「避難、退避」。

□倒れた家具や壊れた建物に気を付けてください。

Please be careful of fallen furniture and collapsed structures.

□壁の近く、狭い道は危ないですから近づかないでください。

It's dangerous to walk very **close** to walls or along narrow streets. Please avoid such areas.

＊close 〔発音〕ク**ロ**ウス「接近した、近い」。

□自動販売機に近づかないでください。倒れるかもしれません。

Please stay away from vending machines. They may **topple** over.

＊topple 〔発音〕**タ**ァポゥ「倒れる、ぐらつく」。

□帰宅困難な方の待機場所は、2階のトイスラーホールです。

Teusler Hall on the second floor is open for those who are unable to go home.

□トイスラーホールで、水・食べ物・毛布がもらえます。

You can get water, food and blankets at Teusler Hall.

そのほかの状況説明など

□これから電気が止まるかもしれません。懐中電灯を準備してください。

Electricity may not be available. Please have a flashlight ready.

＊electricity 発音 イレクト**リ**サティ

□これから水が止まるかもしれません。水をできるだけたくさん確保してください。

Water may not be available. Please store as much water as you can.

□水道が止まっているのでお手洗いは使用できません。

Bathrooms cannot be used as the water supply has been **interrupted**.

＊interrupt 発音 インタ**ラ**プトゥ 「遮る、中断する」。

□すべての公共交通機関は運転を取りやめています。

All forms of public **transportation** are out of service.

＊transportation 発音 トランスポォ**テ**イション 「輸送機関」。

□ケガをした人がいたら、大きな声で近くの人を呼んでください。

Please call for assistance in a loud voice if you find anyone who is injured.

□すぐに助けが来ます。もう少しがんばって！

Help is coming soon. Please **hang in there** a little longer!

＊hang in there 発音 ハング イン **ゼ**ア 「頑張る、持ちこたえる」。

- JCOPY 〈(社)出版者著作権管理機構 委託出版物〉
本書の無断複写は著作権法上での例外を除き禁じられています．複写される場合は，そのつど事前に，(社)出版者著作権管理機構（電話 03-5244-5088, FAX03-5244-5089, e-mail：info@jcopy.or.jp）の許諾を得てください．
- 本書を無断で複製（複写・スキャン・デジタルデータ化を含みます）する行為は，著作権法上での限られた例外（「私的使用のための複製」など）を除き禁じられています．大学・病院・企業などにおいて内部的に業務上使用する目的で上記行為を行うことも，私的使用には該当せず違法です．また，私的使用のためであっても，代行業者等の第三者に依頼して上記行為を行うことは違法です．

聖路加スタイル
病院スタッフのための英会話

ISBN978-4-7878-2137-9

2014 年 12 月 15 日	初版第 1 刷発行
2016 年 5 月 10 日	初版第 2 刷発行
2018 年 11 月 30 日	初版第 3 刷発行

編　集	学校法人　聖路加国際大学
発行者	藤実彰一
発行所	株式会社　診断と治療社
	〒 100-0014　東京都千代田区永田町 2-14-2
	山王グランドビル 4 階
	TEL：03-3580-2750（編集）
	03-3580-2770（営業）
	FAX：03-3580-2776
	E-mail：hen@shindan.co.jp（編集）
	eigyobu@shindan.co.jp（営業）
	URL：http://www.shindan.co.jp/
装　丁	株式会社ジェイアイ
イラスト	アサミナオ
印刷・製本	三報社印刷株式会社

©St. Luke's International University, 2014. Printed in Japan.　　[検印省略]
乱丁・落丁の場合はお取り替えいたします．